Rue des petits singes

Du même auteur, dans la même collection :

Cœur de vampire
La dragonne de minuit
La drôle de vie d'Archie

Agnès Laroche
Illustrations de Frédérique Vayssières

Rue des petits singes

RAGEOT

À mon sapajou préféré, qui se reconnaîtra !

Cet ouvrage a été imprimé sur un papier
issu de forêts gérées durablement,
de sources contrôlées.

Couverture : Frédérique Vayssières.

ISBN : 978-2-7002-3957-7
ISSN : 1951-5758

Choux de Bruxelles
et trou de mémoire

– Ces noisettes sont délicieuses ! s'est exclamée Maminou.

Mon père a laissé échapper un soupir discret mais consterné.

Maman a esquissé une moue gênée en baissant les yeux.

Ulysse, mon petit frère, s'est planqué derrière sa serviette pour pouffer de rire.

J'ai posé ma main sur celle de Maminou et j'ai répondu :

– Tu vois bien que ce sont des beignets de choux de Bruxelles, pas des noisettes ! En plus, c'est toi qui les as cuisinés.

Elle a murmuré, l'air égarée soudain :

– Oui, évidemment… Ce que je suis distraite en ce moment !

Je lui ai souri et je me suis efforcée de vider mon assiette sans grimacer, un exploit.

D'ordinaire, j'adore manger chez elle, sauf que là, franchement…

Dire qu'on va jusqu'à Bruxelles pour cueillir ces choux immondes, c'est dingue, non ?

Le déjeuner s'est achevé sur une mousse domino, chocolat blanc et chocolat noir, et après le café mes parents ont donné le signal du départ.

– Vous me quittez déjà ? a regretté ma grand-mère, déçue.

Je l'ai embrassée très fort, le cœur un peu gros.

Sur le perron de sa maison, elle nous a encore embrassés en serrant les pans de son blouson en jean autour d'elle.

Avant de monter en voiture, mon père a crié :

– Rentre vite, il fait froid !

Je serais volontiers restée avec elle, mais on allait à Ikea m'acheter un nouveau lit.

– Quelque chose de simple, solide et fonctionnel, avait décrété papa en feuilletant le catalogue.

– Ou quelque chose de romantique, pourquoi pas un lit à baldaquin... avait murmuré maman, rêveuse.

Au secours !

On a roulé en silence, et juste avant d'arriver au centre commercial, papa a lâché :

– Je crois que ma mère perd la tête...

Maman a essayé de le réconforter :

– Elle a des absences, c'est vrai, mais ce n'est pas dramatique.

Malheureusement, Ulysse, fidèle à ses habitudes, a tout gâché :

– Si ça se trouve, elle a Alzheimer…

Ma mère s'est retournée, agacée :

– Quand est-ce que tu arrêteras de parler de sujets que tu ne connais pas ?

Mon frangin s'est redressé, vexé.

– Bien sûr que si, je connais ! C'est la maîtresse de CP qui nous a expliqué Alzheimer, l'année dernière, le jour de la fête des grands-mères !

Mon père a haussé les épaules, puis il a marmonné :

– Quoi qu'il en soit, je vais appeler son médecin et en discuter avec lui.

Je n'ai rien dit, j'étais trop occupée à penser que :

1) J'aurais préféré manger des noisettes plutôt que des choux de Bruxelles.

2) À force de rester seule, c'était sûrement normal que Maminou perde la carte et la boussole.

3) Ça tombait bien, j'avais peut-être une solution pour le 2).

4) Mais dans l'immédiat, ma priorité, c'était de régler cette affaire de lit.

On est descendus de voiture, on s'est dirigés vers l'entrée d'Ikea et je me suis préparée mentalement à l'épreuve qui m'attendait : convaincre mes parents de renoncer au lit simple, solide et fonctionnel, modèle « Fjellse », ainsi qu'au lit de princesse, modèle « Leirvik », pour choisir à la place la mezzanine tubulure acier, déconseillée aux moins de huit ans, le modèle Bye-bye-Ulysse !

Un programme musclé

Le lendemain soir, au dîner, papa a déclaré :

– Maminou va bien ! J'ai appelé son médecin, il n'est pas question d'Alzheimer. Elle est simplement un peu fatiguée, d'où de légères pertes de mémoire... Mais ce n'est rien, sans doute les suites de la vilaine pneumonie qu'elle a eue l'automne dernier.

Songeur, il a ajouté :

– Elle est très seule... Sa meilleure amie a déménagé à Nice, sa cousine Annie est partie faire le tour du monde avec son mari et ses anciennes collègues sont débordées.

Elles n'ont pas le temps de lui rendre visite. Le docteur pense que Maminou serait en meilleure forme si on lui tenait un peu plus souvent compagnie, mais avec nos horaires de folie…

Maman a renchéri :

– On quitte au mieux le magasin à 20 heures, y compris le samedi, je ne vois pas ce que…

– Moi je sais ! me suis-je écriée.

Mes parents ont levé les sourcils, intrigués. Ulysse, lui, faisait comme si je n'étais pas là. Il m'en voulait à mort à cause de cette histoire de lit. Parce que j'avais obtenu gain de cause pour la mezzanine interdite aux morveux, et surtout parce qu'il avait écopé du modèle « Fjellse », simple, solide et fonctionnel.

– J'en ai marre d'aller chez tatie Jeanne après l'école, ai-je poursuivi. Elle est pendue au téléphone et sa maison pue le poisson. Chez Maminou, je ne m'ennuie pas et j'adore passer du temps avec elle.

– On ne dit pas « pue », mais « sent », a rectifié maman.

J'ai levé les yeux au ciel.

– N'empêche, je préférerais aller chez Maminou, comme avant qu'elle tombe malade.

– Pas moi! a riposté Ulysse. Chez tatie Jeanne je peux regarder la télé tant que je veux, et ça pue pas le poisson.

– Pas « pue », « sent », l'ai-je corrigé avec plaisir.

Il m'a balancé un coup de pied dans le mollet.

– Même pas mal, pauvre nain! ai-je rétorqué.

Mon père a froncé les sourcils.

– Vous deux, ça suffit!

Puis maman et lui ont gardé le silence. Ils réfléchissaient à mon idée géniale.

Tatie Jeanne, c'est la nounou qui veille sur nous jusqu'à ce que mes parents sortent de *Pensées fleuries*, le magasin de fleurs dont ils s'occupent. Résultat, on reste trois heures chez elle, quatre jours par semaine, sans compter la plupart des samedis après-midi !

Pendant qu'on fait nos devoirs, elle papote avec ses copines, l'oreille collée à son portable et dès qu'on a terminé, elle se cale devant *Le printemps de l'amour*, *L'hôpital des cœurs blessés*, et enfin *Les sentiments ne meurent jamais*.

J'ai vu tant d'épisodes que je pourrais inventer ma propre série, intitulée : *Le printemps blessé du poisson qui pue qui meurt jamais*.

Mon frère a remué sur sa chaise.

– Maminou, elle n'a pas la télé, il a décrété, bras croisés. Moi, j'y vais pas !

Tant mieux.

Mes parents se sont dévisagés en hochant la tête et j'ai compris que j'avais gagné !

– Écoute, Lucie, on peut essayer, a proposé papa, toutefois il faudra ménager ta grand-mère, d'accord ?

La ménager, et surtout préparer un programme d'enfer pour redonner du tonus à sa mémoire.

Un programme si efficace qu'un jour les plus grands médecins s'y intéresseraient, je deviendrais célèbre, je recevrais des prix, des palmes, des lauriers, des palmiers, des...

Ulysse a cassé mon rêve en me poussant du coude.

– Hé, t'endors pas, c'est ton tour de débarrasser.

Allez Maminou...

Le lundi, à la sortie de l'école, j'ai dit vite fait bonjour à tatie Jeanne, qui m'a regardée d'un œil noir parce qu'à cause de moi elle perdait une moitié de salaire. Ulysse m'a tiré la langue, je lui ai souri, noble et indulgente, et j'ai filé en direction de l'arrêt de bus.

Cinq minutes après, les portes de mon carrosse s'ouvraient devant moi en soufflant pour me souhaiter la bienvenue.

Avec assurance, j'ai présenté ma carte « Passobus » neuve au conducteur, comme si le bus et moi c'était déjà une longue histoire.

Il a levé un sourcil.

– La carte, c'est pour la machine, là, sur le côté.

Oh… Oui, bien sûr, où avais-je la tête !

Je me suis assise près de lui, ordre de maman, je n'ai adressé la parole à personne, ordre de papa, et je me suis débarrassée de mes devoirs en cinq minutes, ordre personnel.

Je suis descendue à Roosevelt, puis première à droite et deuxième à gauche, l'impasse tranquille où vit ma grand-mère. Sur son trottoir, des maisons identiques à la sienne se succèdent. En face, un immeuble moderne, tout en longueur, abrite une compagnie d'assurances. Le bout de la rue est fermé par de larges grilles qui mènent à une clinique inoccupée depuis longtemps.

IMPASSE
des
Tourterelles

J'ai appuyé sur la sonnette du 7 impasse des Tourterelles, Maminou a ouvert aussitôt et je me suis blottie contre elle.

– Je suis si heureuse de te voir, ma Lucie, s'est-elle réjouie.

– Oh, tu as été chez le coiffeur !

Elle s'était fait couper les cheveux et teindre en blond clair, ça lui allait super bien.

En plus elle portait les boucles d'oreilles que je lui avais offertes à Noël, des capsules de bouteilles sur lesquelles j'avais peint des smileys, fixées à des petits crochets grâce à de la colle extra-forte. La classe !

Je l'ai embrassée, et juste après j'ai détecté une délicieuse odeur de crêpes. J'ai songé aux pauvres brioches sous vide que nous servait tatie Jeanne et j'ai frémi de plaisir.

J'ai passé un coup de téléphone à maman pour la rassurer, et j'ai suivi ma grand-mère dans la cuisine.

Tandis qu'elle dégustait son thé à petites gorgées, j'ai demandé, la bouche pleine :

– Quoi de neuf, Maminou ?

Elle a esquissé une légère grimace.

– Hum, ces derniers temps, pas grand-chose…

Elle a posé sa tasse, elle s'est penchée vers moi et, sur le ton de la confidence, elle m'a murmuré :

– Tes parents pensent que je yoyotte, hein ?

– Que tu quoi ?

– Que je perds la tête. Bah, ils n'ont peut-être pas tort.

J'ai haussé les épaules.

– La tête, je ne sais pas, la mémoire, un peu. Mais ne t'inquiète pas, Maminou.

Là, j'ai extrait de mon sac la solution miracle : les mots croisés, les mots fléchés et les Sudokus que mon oncle Martin avait oubliés chez nous à Noël.

– Je suis allée sur Internet en cachette, ai-je déclaré, et j'ai tapé « Comment entretenir sa mémoire ». Résultat : les sports cérébraux ! On va s'entraîner à fond, et hop, tu…

– Lucie ? m'a-t-elle coupée.

– Oui ?

– J'ai horreur de ces trucs-là, a-t-elle avoué en me caressant la joue. En tout cas, tu es mignonne de te soucier de moi.

Je me suis reculée, vexée. Moi aussi j'ai horreur de ces trucs-là, mais ce n'est pas une raison ! J'ai horreur des choux de Bruxelles, et je les mange quand même !

– À vrai dire, a-t-elle poursuivi, songeuse, je crains que les troubles dont je souffre ne soient trop sérieux pour être résolus par les sports cérébraux.

– Ah bon ? ai-je lâché, interloquée.

Qu'est-ce qu'elle entendait par « trop sérieux », exactement ?

Elle s'est levée.

– Bah, viens plutôt faire un tour dans le jardin, j'ai installé de nouvelles cabanes à oiseaux.

– Sûrement pas ! Tant que tu ne m'auras pas parlé de tes troubles trop sérieux, je ne bougerai pas. Et quand papa viendra me chercher, je resterai assise, je...

Elle a éclaté de rire avant de constater :

– Tu es encore plus têtue que moi !

Je n'ai pas bronché et j'ai attendu, les bras croisés. D'expérience, je savais que ma grand-mère ne me refusait jamais rien. Pour être certaine de l'emporter, au bout de quelques secondes j'ai murmuré :

– Allez, Maminou...

Elle a secoué la tête, vaincue :

– Entendu, je vais tout te raconter, mais je te montre mes cabanes à oiseaux d'abord.

Une apparition

On a enfilé nos manteaux et on est sorties par la porte de derrière.

Ce jardin, je le connais par cœur, parce que depuis que Maminou est à la retraite et jusqu'à ce qu'elle tombe malade, c'est elle qui nous gardait après l'école.

À droite, trois grands sapins que j'étais capable d'escalader jusqu'à la cime, et grâce auxquels j'espionnais les voisins sans être vue.

À gauche, un portique et un bassin peu profond rempli de têtards où je menaçais de plonger Ulysse s'il racontait à maman que j'escaladais les sapins.

Un peu partout, des massifs de fleurs, entretenus par un étudiant qui m'avait appris des gros mots en italien qui, depuis, faisaient fureur dans la cour de récréation.

Devant nous, deux pommiers ornés de cabanes à oiseaux multicolores que Maminou avait fabriquées elle-même, comme chaque année.

– Elles sont trop cool! ai-je constaté.

J'ai suivi ma grand-mère jusqu'au banc que mon père lui avait offert.

Comme elle se taisait, n'y tenant plus j'ai lancé :

– Bon, je t'écoute…

– Je crois bien qu'en effet je yoyotte, a-t-elle commencé.

J'ai haussé les épaules.

– Mais non, t'es vieille, c'est tout.

Elle a souri et j'ai glissé ma main dans la sienne pour l'encourager.

– Voilà ce qui se passe… a-t-elle repris.

Elle s'est aussitôt arrêtée, puis elle a déclaré :

– Je t'avoue que je préférerais que tu n'en parles pas à tes parents, sinon ils s'inquiéteront vraiment.

J'ai soufflé fort, exaspérée.

– Dis donc, t'es la reine du suspense. Bien sûr que je me tairai! Vas-y.

À cet instant, on s'est bouché les oreilles. L'avion de 17 h 40 pour Paris, en phase de décollage, survolait le quartier. L'aéroport est à deux pas et, à force, on connaît les horaires et les destinations par cœur.

Une fois le silence revenu, elle a croisé ses jambes, épousseté du bout des doigts son pantalon noir, et s'est enfin jetée à l'eau.

– La veille de votre venue, Gaston m'a réveillée en pleine nuit. Il hurlait, comme quand Ulysse s'amuse à lui tirer la queue.

– Gaston? Mais qu'est-ce qu'il avait?

Gaston, c'est un perroquet que l'une de ses anciennes collègues avait acheté bien des années plus tôt sur un coup de tête. Elle avait voulu s'en débarrasser peu de temps après, sous prétexte qu'il ne parlait pas.

Ma grand-mère avait donc recueilli le pauvre oiseau, un gris du Gabon tellement paisible qu'il ne s'anime, inquiet, que si mon frère est dans les parages. À force de caresses, elle avait réussi à lui apprendre à prononcer son prénom, Françoise.

– Je me suis levée et je l'ai rejoint dans le salon. Le pauvre, il avait les plumes hérissées, les yeux exorbités, il sautillait d'une patte sur l'autre. À ma vue il a crié « Françoise, Françoise ! », je ne l'avais jamais vu dans cet état.

Compatissante, elle a secoué la tête.

– Et ? ai-je relancé.

– Il regardait fixement dehors et j'avais beau le cajoler, il ne se calmait pas. J'ai fini par ouvrir la fenêtre, je me suis penchée et…

Elle s'est interrompue, perdue dans ses pensées.

– La suite ! ai-je exigé.

– Sur le trottoir d'en face, j'ai aperçu...
Tu ne me croiras jamais, Lucie... j'ai aperçu
un... un adorable petit singe.

Malgré la fraîcheur, j'ai soudain eu très
chaud. Comme le jour où la boulangère
m'avait surprise en train de vite fourrer des
sucettes au fond de ma poche et qu'elle
m'avait ordonné de les reposer sur le comptoir.

Un singe?

En effet, Maminou yoyottait complètement, et pour une fois je ne savais pas quoi
dire.

J'ai toussoté, puis j'ai répété d'une voix
neutre :

– Un singe.

Elle a ri doucement.

– Tu ne me crois pas, hein?

– Ben... non! ai-je reconnu.

– C'est normal. Je t'avoue que je me suis
demandé si je n'avais pas des hallucinations.

Soit Maminou était complètement à l'ouest, soit elle avait réellement vu un singe.

Je penchais sérieusement pour la première hypothèse, même si ça me brisait le cœur, lorsqu'elle a précisé :

– Alors pour tirer ça au clair, j'ai pris des photos de la rue et de son visiteur. J'ai eu le temps d'en faire une dizaine et pfuit, le singe a disparu.

J'ai sauté sur mes pieds.

– Maminou, tu es géniale ! Mais ça donne quoi, ces photos ?

Elle a soupiré en baissant les yeux.

– Je… Je n'ai pas osé regarder, par peur de découvrir que mon imagination me jouait des tours.

– On va vérifier toutes les deux, tu veux bien ? Tu le ranges où ton appareil photo ?

– Dans ma chambre, sur la commode.

– Ne bouge pas, je reviens tout de suite !

Un détail bizarre

Je me suis ruée dans la maison, puis dans la chambre de ma grand-mère. Le Nikon que maman lui avait offert un an plus tôt était bien là, posé sur une pile de magazines.

De retour sur le banc, j'ai lancé :

– Tu es prête ?

Elle a acquiescé et j'ai appuyé mon index sur la touche « On ».

– Je ne m'en étais jamais servie, alors les photos ne sont peut-être pas parfaites, a précisé Maminou.

Le souffle suspendu, on a regardé défiler les clichés, presque tous identiques.

Moches, mal cadrés, flous.

La rue, les trottoirs, les réverbères, les platanes, mais pas le moindre singe.

– Désolée, Maminou, ai-je chuchoté.

L'air un peu triste, elle a passé la main dans ses cheveux.

– Bah, je m'en doutais, c'était tellement incroyable cette histoire. Bon, pour cette fois, on dira que j'ai fait un rêve éveillé. Mais si ça recommence, j'en parle au docteur.

Je l'ai embrassée pour lui remonter le moral, mais j'avais le cœur gros.

Elle a glissé son bras doucement autour de mes épaules.

– Ça se rafraîchit, non ? Viens, on rentre.

Pendant que Maminou s'affairait dans la cuisine, je me suis affalée sur le canapé du salon, face à la fenêtre, en regardant Gaston qui roupillait sec, le bec sous l'aile.

C'était quand même curieux qu'il se soit réveillé en hurlant en pleine nuit. Sans doute avait-il rêvé, lui aussi, fait un cauchemar de perroquet.

Le téléphone a sonné et ma grand-mère a décroché.

– Allô ? Gilda ? Ah, quel plaisir de t'entendre !

Gilda, c'est la costumière qui remplace Maminou au théâtre depuis qu'elle a pris sa retraite, voilà cinq ans.

Pendant qu'elles papotaient, j'ai fait redéfiler les photos.

Soudain, en visionnant la 6, la 7 et la 8, je me suis redressée.

En bas à droite, sur chacune d'elles, figurait un détail bizarre que je n'avais pas vu la première fois.

Une tache brunâtre qui méritait que je m'y intéresse de plus près.

Inutile d'en parler à Maminou, je ne voulais pas qu'elle nourrisse de faux espoirs, mais dès qu'elle a raccroché, j'ai demandé :

– L'appareil photo, je peux l'emporter ce soir ? J'aimerais vérifier quelque chose.

– Bien sûr ma Lucie, pas de problème. Dis-moi, Gilda me propose deux places pour une pièce très amusante qui se joue au théâtre le mois prochain, ça te plairait de venir avec moi ?

Buuuuuut !

Dans la voiture, à peine la portière refermée, mon père m'a interrogée :

– Ça s'est bien passé ?

– Super ! Et toi, ta journée ?

– Impeccable, un monde fou et des commandes à gogo. Ça devrait aider notre chef à se prononcer en notre faveur.

Il semblait optimiste mais il avait l'air fatigué. D'ici peu, le boss donnerait son verdict, on saurait enfin si *Pensées fleuries*, le magasin de mes parents, échappait à la fermeture.

– Rien de spécial ? a-t-il repris.

– Non, enfin si… Maminou va me coudre une super robe qu'elle a repérée dans un magazine, elle m'invite au théâtre et ses crêpes sont toujours aussi délicieuses !

– Elle est en forme, alors ? a-t-il voulu savoir.

– Carrément !

Il m'a souri.

– Tant mieux. Dis, tu as fini tes devoirs ?

Exactement la question que j'attendais !

J'avais préparé une réponse en trois étapes :

1) Mine de chien battu.

2) Petit mensonge.

3) Gros mensonge.

J'ai donc soufflé, accablée, l'œil tombant, et j'ai lancé mon petit mensonge.

– Ben non, justement, ça m'embête…

Il a haussé les sourcils, étonné. C'était bien la première fois que je me lamentais au sujet de devoirs non faits.

Tout de suite après, j'ai lâché le gros mensonge.

– La maîtresse nous a donné des recherches à faire sur Internet. C'est urgent, il faudrait que je m'en occupe ce soir.

J'ai entendu les pensées de papa se bousculer : « Lucie n'a pas le droit de se servir de l'ordi en semaine… Oui mais là c'est pour l'école… Attention, elle ne doit pas se coucher trop tard… Si je l'aidais, ça irait plus vite… Allez, exceptionnellement, c'est OK ».

Il s'est tourné vers moi.

– Allez, exceptionnellement, c'est OK. Je te donnerai un coup de main si besoin.

Sûrement pas ! Je voulais l'ordi pour moi seule ! Ouf, j'avais prévu la parade.

– Heu… tu ne préfères pas voir la finale du foot à la télé ?

– Ah zut…

– T'inquiète, si j'ai besoin je t'appelle.

Et voilà comment, après le dîner et une bonne douche, je me suis installée dans le bureau. Ulysse était couché, maman téléphonait à une amie et papa encourageait les joueurs de l'équipe de France, j'étais tranquille.

J'ai relié le Nikon au PC. Les photos se sont affichées une à une à l'écran, toujours aussi moches. Je n'ai gardé que la 6, la 7 et la 8, que j'ai scrutées attentivement.

Oui, il y avait quelque chose en bas à droite.

J'ai agrandi, effectué la mise au point et là, j'ai poussé un cri de surprise heureusement couvert par mon père qui, au même moment, a hurlé :

– Buuuuuuuuuuut !

Double mission

Fébrile, j'ai imprimé les photos. Je les glissais dans une chemise lorsque maman est entrée.

– Pas trop difficiles, ces devoirs?

J'ai refermé lentement la chemise pour ne pas attirer son attention.

– Non, j'ai terminé.

Elle m'a serrée contre elle.

– On ne vous consacre pas beaucoup de temps en ce moment, mais ça va s'arranger, ne t'en fais pas.

J'ai levé le pouce en l'air, j'y croyais, moi aussi.

Dans mon lit, j'ai allumé ma lampe de poche et j'ai examiné les clichés.

Sur chacun d'eux, en bas à droite, il y avait un bout de queue.

Une queue touffue, marron et noire, trop épaisse pour appartenir à un chat ou à un chien.

Une queue de quoi, alors?

De singe, à tous les coups!

J'ai éteint brusquement parce que Ulysse venait de glapir :

– Papaaaaa! Mamaaaaan! Lucie dort pas! Je suis allé faire pipi et j'ai vu de la lumière sous sa porte.

Le lendemain, à l'école, j'ai lutté fort pour ne pas raconter à mes amis ce qui se passait chez ma grand-mère et j'ai tenu bon. C'était notre secret à elle et moi.

Je n'ai rien dit. Ni à Basile, mon amoureux, ni à Grégoire, mon ex, qui espérait redevenir mon amoureux mais moi je ne voulais pas, ni à Lison, ma meilleure copine.

Un exploit !

Le soir, une fois descendue du bus, j'ai couru jusqu'au 7 impasse des Tourterelles. Dès que Maminou a ouvert, je lui ai tendu les photos.

– Tu ne perds pas la tête, regarde !

Elle a écarquillé les yeux, ajusté ses lunettes rouges sur son nez et observé longuement le bout de queue en gros plan.

– Excellente nouvelle ! a-t-elle commenté, réjouie. Tu ne peux pas savoir à quel point ça me rassure !

Je l'ai accompagnée dans la cuisine, elle m'a servi un bol de chocolat chaud avec des tartines grillées recouvertes de Nutella avant de déclarer :

– Je vais appeler la police. C'est quoi son numéro, déjà ? Le 17 ?

J'ai froncé les sourcils.

– Hein ? La police ?

– Bien sûr ! Un animal sauvage se promène dans le quartier, je dois le signaler, il
est peut-être dangereux.

J'ai reniflé, sceptique.

– Dangereux ? Un petit singe ?

– Quoi qu'il en soit, on doit prévenir les
autorités, a-t-elle affirmé. Tu as une autre
idée ?

Tandis que le vol de 17 h 15 pour Londres
prenait son essor et faisait vibrer les vitres,
j'ai réfléchi à toute allure.

Oui, j'avais une autre idée.

On allait mener l'enquête !

Et grâce à ça :

1) On passerait plus de temps ensemble,
elle et moi.

2) On attraperait le petit singe et, qui sait,
j'aurais le droit de le garder.

3) Ulysse ne s'en approcherait que s'il
renonçait à jamais à me dénoncer quand je
fais une bêtise ou quand je dis un gros mot.

4) Mes parents seraient super contents de
s'occuper d'un singe, ça leur changerait les
idées.

5) Le singe serait tellement mignon qu'ils ne parleraient plus de nous fabriquer un petit frère ou une petite sœur, ouf!

J'ai avalé la dernière bouchée de ma seconde tartine puis j'ai murmuré, câline :

– Je peux m'asseoir sur tes genoux?

– Oui, évidemment, a-t-elle répondu, un peu surprise.

Je me suis installée, j'ai glissé un bras autour de son cou et je lui ai fait part de mon projet. Elle a éclaté de rire.

– Enfin, Lucie, cet animal appartient sûrement à quelqu'un, il est hors de question de le ramener chez toi!

Pfff, ce que les adultes sont rabat-joie!

J'ai haussé les épaules.

– N'empêche, on peut enquêter, ce serait marrant, non?

Elle a secoué la tête.

– Non, je…

Je l'ai coupée, suppliante :

– Jusqu'à dimanche, pas plus, et je demanderai à papa et maman de venir passer le week-end chez toi.

J'ai vu une lueur joyeuse dans son regard, j'étais sur le point de gagner !

Pour assurer, j'ai dégainé l'arme fatale.

– Allez, Maminou...

Elle m'a dévisagée, pensive.

– Et zut ! elle a lâché. Tu n'as pas encore l'âge d'être raisonnable, et moi je ne l'ai plus, alors amusons-nous. Mais jusqu'à dimanche, pas plus !

Blottie contre elle, j'ai fermé les yeux de plaisir avant de décréter, index levé :

– Notre mission sera double, retrouver le singe et percer le mystère de sa présence impasse des Tourterelles !

– Entendu, a-t-elle approuvé. Commençons par identifier le fugitif !

Identification

Ma grand-mère a descendu de la plus haute étagère de sa bibliothèque *L'encyclopédie des animaux du monde entier*.

On l'a posée à plat sur la table et j'ai sorti les photos 6, 7 et 8 pour les comparer à celles du livre. Au bout d'une dizaine de pages, Maminou s'est écriée :

– Le voilà, je le reconnais, c'est lui, j'en suis sûre !

J'ai haussé les épaules.

– N'importe quoi ! Sa queue est beaucoup trop fine, on dirait presque celle d'un rat !

– Ah bon, tu crois ? m'a-t-elle demandé, déçue.

– Ben oui ! ai-je répliqué. Allez, on continue !

Page 59, cette fois, à mon tour de bondir.

– Regarde, ça colle, non ?

Elle a acquiescé.

– Bravo ma Lucie, oui, tu as raison.

Adorable ! Exactement le petit singe qu'on rêverait d'avoir chez soi.

– On est trop balèzes ! me suis-je exclamée. Ton encyclotruc, c'est encore mieux que Google.

J'ai lu à haute voix la légende de la photo.

– « Le sapajou, autrement appelé capucin, singe de très petite taille omniprésent en Amérique du Sud. »

– Reste à comprendre, a soufflé ma grand-mère, ce qu'un sapajou fabriquait dans ma rue en pleine nuit.

On a déterminé les étapes de notre enquête. Facile, j'avais vu tellement de séries policières à la télé avec maman que je savais exactement comment procéder.

La première étape, Maminou s'en chargerait. Elle éplucherait le journal des quinze derniers jours afin de découvrir si un particulier, un cirque ou un zoo avait signalé la disparition d'un singe.

– Je m'en occuperai dès ce soir, quand j'aurai terminé le patron de ta future robe, a-t-elle précisé en m'adressant un clin d'œil.

La deuxième étape me revenait et je l'ai mise en œuvre dès mon retour à la maison, par paliers.

1) Mettre le couvert sans rouspéter.

2) Ne pas dire « Oh non, encore de la soupe ».

3) Et enfin, au dessert, angélique, demander :

– Est-ce que je peux passer le week-end chez Maminou, s'il vous plaît ? J'irai directement après l'école, vendredi, et je resterai jusqu'à dimanche après-midi…

À ce stade de mon plan, papa a levé les sourcils :

– Et ta leçon de solfège, samedi matin ?

J'ai souri en ajoutant :

– Le prof a précisé qu'on pouvait manquer deux fois par an, exceptionnellement.

J'ai lu dans les yeux de maman qu'elle était sur le point d'accepter, mais Ulysse, dans le rôle du bouffon, est entré en scène :

– Ben si elle va pas au conservatoire, moi j'irai pas au judo. C'est nul le judo et le tatami, ça pue les pieds.

– Pas « pue », « sent », l'ai-je corrigé en lui lançant un regard noir.

– Tu peux parler! a-t-il répliqué. T'arrêtes pas de dire des gros mots, ce matin t'as…

Il a été obligé de se taire parce que papa, excédé, a crié :

– Stop!

Il a respiré à fond avant d'ajouter :

– Lucie, tu passes le week-end chez ta grand-mère, accordé. Mais tu ne louperas plus un seul cours de solfège jusqu'à la fin de l'année, et j'y veillerai, crois-moi!

Il s'est tourné vers mon frère.

– Toi, tu iras au judo, pas de discussion.

Ulysse a bondi.

– C'est pas juste, elle…

– Chut, je n'ai pas fini! l'a coupé papa. Tu iras samedi après-midi chez tatie Jeanne, comme d'habitude, et je lui demanderai si tu peux rester dormir chez elle, OK?

– Ouiiiiiiiii!

Puis mon père a posé sa main sur celle de ma mère.

– Et nous, samedi, on sort. Restaurant, cinéma, de quoi se détendre après cette semaine de travail.

Le dîner terminé, je me suis ruée sur le téléphone, pressée d'annoncer la bonne nouvelle à Maminou.

– Un week-end entier! C'est formidable, s'est-elle réjouie.

Et voilà, tout le monde était content et notre enquête promettait d'avancer à pas de géant.

L'Amazonie en plus petit

Le jeudi soir, Maminou m'a annoncé qu'elle était bredouille. Le journal ne mentionnait pas d'animaux exotiques disparus, on pouvait donc passer à l'étape 3, l'enquête de terrain.

J'ai sorti le matériel de mon sac à dos.

⦿ Un jean troué qui ne craignait rien.

⦿ Un K-Way recouvert de boue séchée.

⦿ Des baskets dans le même état.

⦿ Les jumelles ultra-puissantes que j'avais « empruntées » à papa, celles qu'il emporte en vacances pour qu'on contemple les oiseaux. L'occupation la plus ennuyeuse qui soit, juste après la visite guidée des châteaux et des abbayes.

Je me suis changée et j'ai demandé à Maminou :

– Je vais chercher des indices dans le jardin, tu viens avec moi?

– Oh non! J'ai de la confiture de rhubarbe sur le feu, il faut que je la surveille!

Dehors, j'ai procédé avec méthode.

À pas de velours, j'ai fouiné dans les coins et recoins, au cas où le sapajou s'y serait réfugié. Je n'y croyais pas vraiment, mais un enquêteur sérieux ne doit négliger aucune piste.

Ensuite, direction les sapins pour observer le voisinage. Mes pieds ont retrouvé leurs marques avec aisance sur chacune des branches du plus grand d'entre eux. Il avait plu ces derniers jours, ça glissait un peu, pas question de monter jusqu'en haut. Je me suis arrêtée à mi-chemin et, bien accrochée au tronc, j'ai scruté les alentours.

Sur ma gauche, séparés par des murs de brique, trois jardins identiques se succédaient avant la rue des Abbesses.

Le premier jardin était celui d'une nounou qui veillait sur deux enfants. La pelouse était rase, jonchée de jouets, pas la moindre trace de notre fuyard. Il n'avait sûrement pas envie de se cacher dans un endroit où sévissaient de redoutables nains !

Dans le deuxième jardin, la végétation avait été remplacée par des graviers moches comme tout. Là aussi, R.A.S.

Le dernier jardin appartenait, d'après Maminou, à un nouveau voisin arrivé quelques mois plus tôt. Pas de sapajou, mais une couche de terre brune prête à accueillir un semis de gazon.

Toujours aux aguets, je me suis tournée de l'autre côté, vers le parc de l'ancienne clinique. La cachette idéale pour un animal en fuite, non ?

J'ai ajusté mes jumelles…

Il commençait à faire sombre et je n'ai distingué qu'un vieux bâtiment encerclé par un fouillis de ronces et d'herbes folles. L'Amazonie, en plus petit !

J'ai braqué mon regard sur l'allée qui remontait vers l'entrée et là, soudain, je me suis figée.

Un homme vêtu de noir et coiffé d'un chapeau avançait à pas de loup, en regardant de tous côtés comme s'il cherchait quelque chose.

Très étrange…

Je l'ai suivi du regard jusqu'à ce qu'il contourne la façade et disparaisse.

Comment avait-il pu parvenir jusque-là ?

Les grilles qui mènent à la clinique sont bien trop hautes pour être escaladées et elles sont fermées par un cadenas géant.

Oui, étrange, même si à première vue cela n'avait aucun rapport avec la mystérieuse présence d'un sapajou dans la rue de Maminou !

L'enquête piétine

Inutile de m'attarder, j'ai regagné vite fait la terre ferme.

J'ai poussé la porte, longé le couloir, pénétré dans le salon et ma grand-mère s'est exclamée :

– Oh, Lucie, dans quel état tu es !

J'ai haussé les épaules et je me suis postée devant le miroir.

Mon jean était maculé de traces vertes et marron et ma tête était couverte d'aiguilles et de brindilles.

– Ce n'est pas ma faute si j'ai les cheveux tellement frisés que tout y reste accroché !

Du bout des doigts, elle a débarrassé mes boucles brunes de ce qui les encombrait et m'a demandé :

– Tu as vu quelque chose d'intéressant ?

– Juste un homme en noir, qui se promenait dans le parc de la clinique. C'est bizarre, non ?

– Bah, sans doute un vigile chargé de veiller sur les lieux.

J'ai fait la grimace, un peu déçue.

– Elle ne progresse pas beaucoup notre enquête, hein ?

– Patience ! a souri Maminou. Même Sherlock Holmes ne résolvait pas les siennes en deux coups de cuillère à pot ! Tiens, à propos de cuillère, tu veux goûter ma confiture ?

Une fois dans la cuisine, alors que j'étais en pleine dégustation, elle a soudain frappé dans ses mains en s'écriant :

– Au fait, j'ai complètement oublié de te dire que…

Elle s'est interrompue en secouant la tête.

– Pourtant, c'est lié à notre affaire et je suis sûre que ça va t'intéresser. Ah là là, fichue mémoire !

– Maminou, parle ! ai-je trépigné.

– Figure-toi que, la nuit dernière, Gaston a recommencé son cinéma.

J'ai écarquillé les yeux et elle a poursuivi.

– À une heure du matin, il m'a réveillée en criant mon prénom si fort que j'ai dû me boucher les oreilles. Tu penses bien que je me suis précipitée.

Elle a pris le temps de remplir un bocal en verre de sa délicieuse mixture avant de déclarer :

– Tiens, tu donneras ça à tes parents, ils vont adorer.

Les mains sur les hanches, j'ai grondé :

– La suite !

– Je me suis dépêchée d'ouvrir la fenêtre, mais je n'ai rien vu, pas de petit singe. Cela dit, pour que Gaston se mette dans un état pareil, c'est que notre sapajou était sûrement dans les parages. Avec un peu de chance, nous tomberons nez à nez avec lui ce week-end !

J'avoue que ça m'a drôlement remonté le moral.

Pour fêter ça, je me suis offert une deuxième cuillerée de confiture de rhubarbe !

En embuscade

Quand Maminou m'a ouvert le vendredi à 17 h 30, j'étais tellement excitée que je lui ai sauté au cou, manquant la faire tomber. Elle a ri, elle était contente elle aussi.

– J'ai commandé des pizzas, m'a-t-elle annoncé, on nous les livrera à 20 heures. Une bonne idée, non ?

– Géniale, tu veux dire !

Je me suis délestée de la petite valise à roulettes que je trimballais depuis le matin et qui, en plus de ma brosse à dents, mon pyjama et mes vêtements de rechange, contenait le matériel dont j'aurais besoin pour mon enquête : les jumelles de papa, le kit d'espionnage d'Ulysse (emprunté en échange de la promesse d'arrêter de lui raconter qu'un horrible fantôme se balade dans notre grenier), cinq mangas (la soirée risquait d'être longue) et une tenue de camouflage (jogging noir, chaussures noires, gants noirs, la garantie d'être invisible en pleine nuit).

Au goûter, je n'ai mangé que trois tranches du quatre-quarts que ma grand-mère avait cuisiné l'après-midi, je devais garder de la place pour le dîner.

Maminou bâillait sans arrêt, une main discrète devant la bouche.

– Tu es fatiguée ? ai-je demandé.

Elle a acquiescé.

– Oh oui! J'ai repris le cours de gym, et le prof nous a fait travailler à un rythme d'enfer, j'avais perdu l'habitude.

– Si tu veux m'accompagner ce soir, mange une part de gâteau, ça te donnera des forces.

– T'accompagner? a-t-elle répété, perplexe. Où donc?

– Ben, dans la rue, pour guetter. On se cachera derrière ta haie, on sera aux premières loges si notre petit singe pointe le bout de sa queue!

Elle a levé l'index, comme la maîtresse quand elle prétend qu'elle m'a vue copier sur Lison.

– Sûrement pas! a-t-elle répliqué. Si Gaston s'agite, on ouvrira la fenêtre et on avisera, mais d'ici là tu restes à l'intérieur, et moi aussi.

J'ai baissé la tête en croisant les bras.

Pfff, ça serait beaucoup moins drôle…

Et puis le kit d'espionnage de mon frère (un mini-micro enregistreur hyper-puissant, trois talkies-walkies longue portée, une lampe frontale, un amplificateur de bruits) et ma tenue de camouflage ne serviraient à rien.

– Lucie ? a murmuré ma grand-mère.

Je n'ai pas bronché pour qu'elle comprenne à quel point j'étais déçue.

– Ne boude pas, a-t-elle repris doucement, je suis si heureuse de t'avoir près de moi.

Là, j'ai craqué. Je ne voulais surtout pas lui faire de la peine.

J'ai relevé le menton et, pour ne pas avoir l'air de céder trop facilement, j'ai marmonné :

– Bon OK, à condition que je dorme sur le canapé du salon, comme ça si Gaston se manifeste je pourrai réagir immédiatement.

– Marché conclu ! s'est-elle exclamée.

Ensuite, je n'ai pas vu le temps filer.

Maminou m'a appris à danser le rock, mais à force de tourner j'avais le vertige. On a joué à la bataille corse, à la crapette, j'ai essayé des robes de soirée qu'elle portait autrefois, bien trop grandes pour moi même après avoir enfilé ses vieilles chaussures à talons aiguilles, on a feuilleté des albums photos avec mon père à chaque page, et aussi mon grand-père, Papinou, qui est mort depuis si longtemps que je ne me souviens pas de lui.

On a dévoré nos pizzas en écoutant à la radio *Histoires abominables*, une émission géniale qui donne la chair de poule.

Après on s'est raconté des histoires qui font peur, j'en connais des tonnes et elles fichent vraiment la trouille, je les ai testées sur Ulysse.

Vers 21 h 30, Maminou a recommencé à bâiller.

– Je ne tiens plus debout, je vais me coucher.

Elle a disparu dans la salle de bains avant de revenir vêtue d'une chemise de nuit vert anis qu'elle avait cousue elle-même. Elle lui allait super bien ! Elle m'a embrassée en déclarant, optimiste :

– Dès que Gaston hurle, j'arrive ! À tout à l'heure, ma Lucie.

Une fois seule, j'ai ouvert ma valise.

J'ai enfilé mes habits noirs, pas question de me mettre en pyjama alors que l'aventure pouvait se présenter d'une minute à l'autre.

J'ai sorti mes mangas, disposé l'appareil photo et les jumelles devant moi, sur la table basse, puis j'ai caressé la tête de Gaston.

– Je compte sur toi pour m'avertir, mon pote !

L'heure du crime

À 23 h 15, j'ai éteint la lumière, entrouvert la fenêtre – comme ça, l'alarme perroquet se déclencherait encore plus facilement – et je me suis blottie sous une couverture car je commençais à avoir sommeil.

Gaston dormait profondément. Il ne bougeait pas d'une plume, on aurait cru qu'il était empaillé.

À 23 h 30, j'ai rallumé la lampe. Impossible de fermer les yeux, j'étais trop énervée.

J'ai glissé en chaussettes jusqu'à la fenêtre et j'ai collé mon front à la vitre. Dehors, le calme plat.

J'ai fait demi-tour, direction la cuisine, j'avais un petit creux. Le quatre-quarts, posé sur la table, n'attendait que moi. Je m'en suis coupé une belle tranche, je me suis versé un verre de lait et j'ai regagné ma planque.

J'ai grignoté jusqu'à 23 h 45, déçue qu'il ne se passe rien.

Et si c'était une nuit sans singe ?

Soudain, une idée horrible a germé dans mon esprit.

Et si...

Oui, et si Maminou avait inventé cette histoire pour attirer mon attention ? Pour que je lui consacre plus de temps ? Pour tromper son ennui, avoir de la compagnie ?

Et si elle avait photographié le bout de la queue d'une peluche simplement pour éveiller ma curiosité ?

J'ai frissonné en songeant que, dans la chambre où Ulysse et moi dormions parfois, juste à côté de la sienne, il y avait un vieux singe en peluche, à la queue brune et noire.

Le quatre-quarts et le lait s'agitaient dans mon estomac révolté par mon affreux soupçon.

J'ai essayé de me rassurer.

Non, elle n'aurait pas imaginé un scénario pareil…

Si?

Pour me changer les idées, j'ai ouvert mon cinquième manga lorsque, soudain, j'ai perçu un toussotement, à l'extérieur, amplifié par le silence qui régnait.

Sans doute pas un sapajou, d'ailleurs Gaston n'a pas daigné soulever la paupière.

J'ai regardé la pendule et j'ai frissonné. Minuit, l'heure du crime…

Je me suis avancée à pas de loup jusqu'à la fenêtre et j'ai écarté le voilage.

L'impasse, éclairée par les réverbères, était déserte.

Mais pas pour longtemps!

Je venais d'entendre un second toussotement, suivi d'un raclement de gorge discret, beaucoup plus près.

Un promeneur dans une impasse en pleine nuit... Drôle d'endroit pour une balade, non ?

J'ai senti mon cœur battre un peu plus fort, je me suis penchée et là, j'ai vu une silhouette passer devant chez nous et filer à pas décidés droit vers la clinique.

Une silhouette vêtue de noir et coiffée d'un chapeau.

C'était l'inconnu que j'avais observé dans le parc quatre jours plus tôt !

Il semblait avoir un « certain âge », comme dit maman quand elle n'ose pas employer le mot « vieux », et il tenait à la main une cage vide, identique à celle qu'utilise mon oncle Martin pour transporter son chat.

J'ai entrouvert la fenêtre et je me suis penchée pour mieux le suivre des yeux. Tous les deux ou trois pas, l'homme faisait claquer sa langue en regardant autour de lui, comme pour appeler un animal.

À tous les coups, il était lui aussi à la recherche du sapajou.

Très intéressant !

Filature

J'ai hésité une minute, puis je me suis décidée.

Pas de temps à perdre !

J'ai ajusté la lampe frontale, chaussé mes baskets et hop, par ici la sortie !

J'ai juste tiré la porte sans la refermer et, courbée en deux, j'ai gagné le portail que j'ai ouvert sans qu'il émette le moindre grincement, un exploit.

En me plaquant contre la haie, j'ai glissé un œil prudent dans la rue. L'homme se dirigeait droit vers l'ancienne clinique.

Franchement, qu'est-ce que je risquais à le suivre?

À la première alerte, je ferais demi-tour. Il n'était plus tout jeune, je courais sûrement beaucoup plus vite que lui!

J'ai avancé avec précaution, me cachant derrière le tronc des platanes plantés le long du trottoir.

L'homme au chapeau ne s'est pas retourné une seule fois, il ne soupçonnait pas ma présence.

Arrivé devant les grilles de la clinique, il a sorti de sa poche une tige fine et pointue, l'a introduite dans le cadenas et zou, il est entré. Drôle de clé!

Ensuite, il a remonté l'allée qui menait à la grande bâtisse avant de la contourner et de disparaître.

Pas question de m'arrêter en si bon chemin !

Je me suis lancée sur sa piste, prête à filer à l'allure d'une fusée s'il réapparaissait.

Parvenue devant la façade, j'ai frémi. Pas vraiment de la peur, mais la sensation désagréable que je faisais peut-être une grosse bêtise. J'ai songé à Maminou qui dormait paisiblement et, pendant une seconde, j'ai eu envie de rentrer.

Une fois la seconde passée, j'ai longé le bâtiment, sur mes gardes. Plus aucune trace du promeneur.

J'ai encore progressé en prenant soin de ne pas faire de bruit quand, dans un renfoncement, j'ai remarqué une porte entrouverte. C'est par là que mon suspect avait dû disparaître. Je l'ai poussée et j'ai découvert un escalier obscur qui menait au sous-sol.

Je me suis gratté la tête, genre « J'y vais, j'y vais pas ».

Allez, au point où j'en étais…

J'ai descendu les cinq premières marches dans le noir, le cœur battant, avant de m'arrêter, pas très rassurée. J'ai allumé ma lampe frontale et j'ai regardé autour de moi. Les murs étaient recouverts de mousse et de champignons, ça empestait le moisi, encore plus que dans le gymnase de mon école.

Là, franchement, j'ai senti mon enthousiasme diminuer.

Surtout quand, en tendant l'oreille, j'ai perçu des bruits métalliques et des petits cris aigus. Ça m'a donné la chair de poule. C'est à ce moment précis qu'elle m'a envahie.

La panique.

Comme le jour où le médecin scolaire (celui qui louche et qui tremble) avait dirigé sa seringue vers moi pour me vacciner. Mes jambes étaient devenues molles, ma bouche sèche, et j'étais partie en courant, dans un sursaut inespéré d'énergie.

J'ai essuyé mes mains moites sur mon jogging, j'ai tenté de calmer ma respiration, mais ça n'a servi à rien.

Autant me l'avouer, j'étais morte de trouille.

Lampe éteinte, je me suis retournée, prête à m'enfuir.

Le temps de grimper une marche, j'ai perçu un mouvement rapide derrière moi, puis quelque chose de chaud et de velu m'a frôlée avant de détaler. Terrorisée, j'ai hurlé de toutes mes forces le nom de la seule personne qui me venait à l'esprit.

– Maminou…

Capture en vue

Le faisceau d'une lampe torche a aussitôt
balayé l'escalier, ce n'était pas le moment de
traîner. J'ai repris mes esprits et je me suis
ruée vers la sortie.

Une fois en haut, je n'ai pas pu m'empê-
cher de me retourner et j'ai vu l'homme
au chapeau qui montait à ma suite. Pas
question de l'attendre mais, dans la préci-
pitation, j'ai glissé et je suis tombée sur les
genoux.

Il a bredouillé :

– Qui... Qu'est-ce que...

J'ai avalé une grosse goulée d'air, je me suis redressée et j'ai franchi la porte, prête à m'enfuir. À cet instant j'ai entendu :

– Jeune homme, ne pars pas, tu peux m'aider…

Hein ? Il me prenait pour un garçon ? Sous prétexte que j'ai les cheveux courts ?

N'importe quoi !

J'ai failli lui répondre, mais je me suis retenue en réalisant que c'était peut-être une ruse pour me capturer. J'allais me sauver quand il a murmuré comme pour lui-même :

– Pauvre bête, il faut absolument que je la retrouve !

C'était donc ça, il cherchait le singe lui aussi.

Puis il a repris :

– Jeune homme, j'ai réellement besoin de toi. Il y a un sapajou qui se promène dans la nature, si je ne le rattrape pas, il ne survivra pas !

Comme je fronçais les sourcils, il a ajouté :

– Bon, je vais t'expliquer.

J'ai reculé de quelques pas prudents, j'ai rallumé ma lampe et, dès qu'il a mis un pied dehors, je la lui ai braquée dans le visage. À peu près de l'âge de Maminou, doté de grands yeux noirs surmontés d'épais sourcils, il avait plutôt une bonne tête.

Sur le qui-vive malgré tout, j'ai demandé :

– Qui êtes-vous ?

La main en visière, il m'a dévisagée et s'est exclamé :

– Oh, tu n'es pas un garçon, pardonne-moi.

J'ai haussé les épaules et j'ai insisté :

– Qui êtes-vous? Et ce sapajou, qu'est-ce qu'il fait dans le coin?

– J'habite ici, enfin, impasse des Tourterelles, au numéro 13.

Le 13... Le jardin recouvert de terre brune... l'homme au chapeau était le nouveau voisin de Maminou!

– Quant au sapajou, a-t-il repris, c'est une longue histoire, tu ne vas jamais me croire. En bref, il était enfermé avec d'autres singes dans les sous-sols de la clinique et, il y a de cela quelques jours, il s'est échappé, je ne sais pas comment. Depuis, j'essaie de le rattraper. Quand je suis descendu nourrir ses petits camarades tout à l'heure, il était là. Il avait sans doute envie de les retrouver, mais à ma vue, pfuit, il est parti sans prévenir.

Bien sûr que si je le croyais, ce sapajou, c'était celui que Maminou avait vu, celui qui faisait hurler Gaston en pleine nuit.

Dire que j'avais pensé que ma grand-mère avait peut-être inventé tout ça!

Il a sorti de son sac à dos des boulettes brunâtres.

– C'est une préparation à base de fruits assaisonnée avec un léger somnifère, que m'a confiée un ami vétérinaire, a-t-il précisé. Si le singe en avale une ou deux, il s'assoupira et je le transporterai chez moi sans problème. Enfin, si j'arrive à le capturer, parce que jusqu'à présent...

Il s'est raclé la gorge et il a poursuivi plus timidement :

– Tu veux m'aider à le chercher?

Je n'ai pas répondu tout de suite.

Après quelques secondes, devant son sourire et son air suppliant, j'ai craqué, ma méfiance s'est envolée.

– Oui... mais comment?

– Très simple, s'est-il réjoui.

Il a fait un grand geste du bras.

– Je vais arpenter le parc avec des boulettes à la main, l'odeur devrait l'attirer, il est probablement affamé. Et toi, tu feras la même chose dans l'impasse des Tourterelles, d'accord ? À nous deux, on finira bien par le dénicher !

J'ai acquiescé, pris ma portion de boulettes et, avant que nos chemins se séparent, il m'a soudain demandé :

– Au fait, qui es-tu exactement ? Et que fais-tu dehors à une heure pareille ?

J'ai souri :

– Oh, c'est une longue histoire, et je ne sais pas si vous me croirez… Sinon, je m'appelle Lucie.

Attrapé !

Tous les sens en alerte, j'ai suivi l'allée vers la sortie, les boulettes à la main. À chaque pas, j'imitais mon oncle Pierre avec ses poules :

— Tss-tss-tss, petit petit petit, tss-tss-tss…

Sauf que l'oncle Pierre, dès qu'il se manifeste, toute la basse-cour se précipite !

J'ai franchi la grille et je me suis engagée dans l'impasse.

— Tss-tss-tss, petit petit…

Je me suis arrêtée net, interrompue par des hurlements stridents qui m'ont glacé le sang.

Gaston !

Il avait flairé le singe, qui devait être près de chez nous.

Oh non ! Il allait réveiller Maminou qui découvrirait que j'étais sortie, qui s'affolerait, qui…

Je me suis mise à courir. J'étais sur le point d'arriver lorsque la porte de la maison de ma grand-mère s'est ouverte. Elle a surgi sur le perron, en chemise de nuit, l'air affolée.

– Lucie ! Lucie ! a-t-elle crié.

Je lui ai adressé de grands signes.

– T'inquiète, je suis là, je vais… Oh !

À quelques mètres de moi, le sapajou était plaqué contre le tronc d'un platane, tétanisé.

Ma grand-mère l'a vu elle aussi, et elle a étouffé un cri, stupéfaite.

Le singe était immobile. De ses gros yeux écarquillés, il fixait les boulettes que je lui tendais du bout des doigts.

Trop mignon !

Il semblait partagé entre l'envie de fuir et celle de goûter au festin que je lui proposais. Pour ne pas l'effrayer davantage, je me suis accroupie très lentement.

Il a penché la tête sans cesser de m'observer et il a poussé un gémissement plaintif avant de s'avancer, en appui sur ses quatre pattes. Je n'osais plus respirer. J'ai laissé rouler trois boulettes sur le sol, dans sa direction. Il a stoppé net et je lui ai souri.

Il m'a montré ses dents et ses gencives, peut-être qu'il me souriait lui aussi, puis d'un geste agile il a attrapé son butin qu'il a englouti en une seule fois, avant de se réfugier de nouveau contre l'arbre.

Moins d'une minute plus tard, il a bâillé, s'est frotté le visage et s'est assis, l'air un peu déboussolé. Il a lâché un profond soupir, il a fermé les paupières et s'est allongé, vaincu par le sommeil.

Il dormait dans la même position qu'Ulysse sur le côté, il ne lui manquait plus que le pouce dans la bouche pour que la ressemblance soit parfaite. Adorable !

Maminou m'a tirée de ma contemplation en s'avançant jusqu'à moi.

– Vas-tu enfin m'expliquer ce qui se passe? a-t-elle murmuré.

À cet instant, des pas ont résonné derrière nous. L'homme au chapeau arrivait en courant, il avait dû entendre les cris de notre perroquet.

– C'est simple, ai-je répondu. Tu vois, ce monsieur rend visite aux singes qui sont enfermés dans la cave de la clinique et il attire ceux qui s'enfuient avec des boulettes de fruits parfumées aux somnifères.

Elle a froncé le nez, puis elle m'a dévisagée comme si elle me soupçonnait de perdre la tête à mon tour.

– Lucie, qu'est-ce que c'est que cette histoire de fous?

J'ai haussé les épaules, je n'en savais pas plus. Alors j'ai attendu que son voisin nous rejoigne.

Cette histoire de fous, c'est lui qui nous la raconterait.

Un sapajou sur les genoux

Parvenu à notre niveau, l'homme a soulevé son chapeau. Il s'est incliné, très classe, et il a déclaré :

– Bonsoir madame, je crois que je vous dois quelques explications.

Ma grand-mère lui a souri.

– Bonsoir, monsieur. Vous excuserez ma tenue, les circonstances…

Il lui a tendu la main.

– Je m'appelle Paul Labatie, j'habite au 13.

– Françoise Bonnefoy, et voici Lucie, ma petite-fille, mais vous vous connaissez déjà…

– Oui, nous venons de nous rencontrer, une enfant charmante, a-t-il précisé.

– En effet, a approuvé Maminou.

L'enfant charmante a toussoté, agacée. On n'allait pas rester toute la nuit sur le trottoir à échanger des politesses, si?

Ma grand-mère m'a jeté un coup d'œil et elle a compris.

– Monsieur Labatie, peut-être pourriez-vous nous en dire plus sur la situation? Il est tard, cependant... accepteriez-vous une tasse de thé?

Ah, on passait enfin aux choses sérieuses!

– Volontiers, a-t-il répondu. Me permettez-vous d'amener ce petit animal avec moi?

– Bien sûr, on ne va tout de même pas le laisser dehors.

M. Labatie s'est dirigé vers le singe puis, doucement, comme s'il s'agissait d'un nourrisson, il l'a soulevé en lui soutenant la tête.

On est rentrés et Gaston nous a accueillis en poussant des cris perçants.

– Fran... Fran... Fran...

Maminou a ouvert la volière et a caressé le perroquet jusqu'à ce qu'il se calme.

– Asseyez-vous, a-t-elle proposé à notre hôte. Je vais préparer le thé.

Une fois à l'intérieur, le singe a commencé à se réveiller et notre invité m'a dit :

– Tu veux le prendre ?

– Carrément !

J'ai pris place sur le canapé et il a installé le sapajou sur mes genoux. Je l'ai entouré de mes bras avec précaution. Avec ses oreilles rondes, son museau noir, ses yeux encerclés d'un masque de poils blancs, il était super craquant.

Paisible, les membres relâchés, il était entre veille et sommeil. Ses doigts serrés autour des miens, il ne me quittait pas du regard. Après quelques secondes, il s'est blotti contre moi, sans doute en quête de chaleur, et il s'est rendormi.

Le rêve !

Il fallait absolument que je lui donne un nom…

À cet instant, le voisin de Maminou a lancé :

– C'est charmant chez vous, vous avez vraiment de jolies choses…

– Oh non, deux ou trois babioles sans plus, a protesté ma grand-mère, modeste, depuis la cuisine.

Babiole ! Voilà comment j'allais l'appeler !

J'ai souri en imaginant la tête de mes copains et d'Ulysse. S'ils avaient pu nous voir, Babiole et moi!

Je songeais déjà au berceau que mon père lui achèterait à Ikea quand soudain, en me penchant légèrement pour l'embrasser, j'ai senti son odeur…

Un mélange terrifiant!

Entre la bouse de vache, les œufs durs et le camembert trop fait.

Je me suis reculée brusquement et M. Labatie a ri.

– Il empeste, c'est normal, il a vécu en captivité dans des conditions d'hygiène épouvantables, et depuis quelques jours il traîne je ne sais où.

OK, dès que j'arriverais à la maison, je lui donnerais un bain.

Maminou nous a rejoints, vêtue d'un jean et d'un sweat-shirt. Elle a posé tasses, théière et quatre-quarts sur la table basse, puis elle s'est assise.

– Alors, monsieur Labatie, si vous nous expliquiez de quoi il retourne?

Odieux trafic

Le voisin a croisé les jambes, saisi délicatement une tasse entre ses doigts et s'est lancé.

– Figurez-vous que je suis insomniaque et que, chaque nuit, je me promène. La semaine dernière, en m'approchant des grilles de la clinique, j'ai entendu un bruit de moteur, des voix, des allées et venues. J'ai trouvé ça d'autant plus surprenant que l'endroit est à l'abandon depuis des années.

Ma grand-mère l'écoutait attentivement, et j'ai noté qu'elle avait pris le temps de se mettre du rose à joues et de se recoiffer. Quelle coquette !

– J'en ai conclu qu'il y avait des visiteurs et qu'ils étaient arrivés par ce qui était autrefois l'entrée principale, au fond du parc, entrée qui donne aujourd'hui sur un terrain désaffecté. J'étais intrigué, comme vous l'imaginez ! J'ai attendu que le calme revienne et je suis allé voir.

Maminou a levé les sourcils.

– Ce n'était pas très prudent.

– Non, a-t-il admis, mais je n'ai pas résisté à la curiosité ! J'ai rapidement repéré de larges traces de roues incrustées dans la boue, probablement celles d'un 4x4. Ensuite, j'ai longé le bâtiment et j'ai trouvé une porte qui n'était pas condamnée. Je l'ai ouverte, j'ai descendu un escalier, puis emprunté un couloir qui menait à une cave. Là…

Il s'est penché, comme pour nous confier un secret, Maminou l'a imité, suspendue à ses lèvres. Moi, je n'ai pas bougé, à cause du singe sur mes genoux.

– … trois cages spacieuses, qui avaient dû être montées sur place, étaient posées au sol. Elles étaient vides. Je suis rentré chez moi, décidé à revenir pour comprendre ce qui se tramait dans ce drôle d'endroit.

Ma grand-mère a de nouveau rempli leurs tasses, tandis que je m'emparais d'une seconde tranche de quatre-quarts.

– Deux jours plus tard, le vendredi, le remue-ménage a recommencé. Après le départ des intrus, je suis tombé nez à nez avec une quinzaine de singes enfermés dans les cages, totalement affolés.

Il a soupiré avant d'ajouter :

– Pauvres bêtes !

– Que font-elles là ? s'est étonnée Maminou.

M. Labatie a continué.

– Elles sont certainement victimes d'un trafic. On les a fait venir clandestinement par avion de leur pays d'origine, sans doute avec la complicité d'un douanier, puis on les a acheminées de l'aéroport à deux pas d'ici, jusqu'à la clinique, en attendant de les vendre à leurs acquéreurs.

– Leurs acquéreurs? ai-je répété.

– Oui. Ces singes sont très demandés, ainsi que toutes sortes d'espèces exotiques. Ils sont vendus à prix d'or à des particuliers qui s'imaginent, à tort, que l'on peut les domestiquer et les transformer en animaux de compagnie pour les enfants. Ils se rendent vite compte que ce n'est pas possible et n'ont plus qu'une hâte, s'en débarrasser.

Si je comprenais bien, pas question de ramener cet adorable petit singe à la maison...

– C'est un peu ce qui est arrivé à ce pauvre Gaston, a soupiré Maminou en désignant son perroquet. Jocelyne, l'une de mes collègues, se l'est procuré auprès de je ne sais qui, et elle s'en est lassée presque aussitôt.

Notre hôte a acquiescé avant de poursuivre ses explications.

– Je pense que, dans le cas présent, nous avons affaire à des amateurs.

– C'est-à-dire? s'est enquise Maminou.

– Lorsque des cambrioleurs repèrent une marchandise qu'ils espèrent écouler à bon prix, des bijoux par exemple, ils se soucient de trouver un acheteur avant d'opérer. Là, j'ai l'impression que nous sommes en présence de trafiquants qui ont eu l'occasion de voler les animaux sans savoir à qui les vendre. Ils stockent ces pauvres bêtes dans cet endroit lugubre en attendant de mettre la main sur des clients.

– Et lui, comment s'est-il retrouvé en liberté? ai-je demandé en pointant Babiole du menton.

– Figurez-vous que ce même soir, alors que je m'apprêtais à quitter les lieux, très en colère je ne vous le cache pas, j'ai découvert notre petit protégé dissimulé entre deux cartons, visiblement effrayé. Il avait dû échapper à la vigilance des trafiquants. Malheureusement, il a été plus rapide que moi, il s'est enfui à toutes jambes et…

– ... il est venu jusque dans l'impasse ! l'a coupé Maminou. Il a réveillé mon perroquet, et moi aussi par la même occasion. Je l'ai vu par la fenêtre et j'ai cru avoir une hallucination.

– Eh non, chère madame !

– Appelez-moi Françoise, je vous en prie ! Mais dites-moi, Paul, que comptez-vous faire ?

– Recueillir un maximum d'indices sur ces malfaiteurs et persuader la police d'intervenir sans attendre.

Le cœur un peu serré, j'ai désigné Babiole :

– Et lui, que va-t-il devenir ?

– Figure-toi que je connais bien le directeur de La vallée des singes, tu sais, ce grand parc, à cent kilomètres à peine. Je suis sûr qu'il offrira une place de choix à ton nouvel ami.

J'ai souri. Cent kilomètres, ce n'était pas si loin. Je pourrais certainement convaincre mes parents de m'emmener rendre visite à mon sapajou de temps en temps.

J'avais encore une question à poser au marquis.

– Au fait, comment avez-vous réussi à ouvrir le gros cadenas de la grille et la porte de la cave ?

Il a toussoté, peut-être à cause du thé brûlant. Comme il ne répondait pas, Maminou s'est étonnée :

– C'est vrai, ça... Comment êtes-vous entré ?

Le marquis des serrures

Notre invité se taisait, l'air aussi malheureux qu'Ulysse le jour où il avait dû avouer à papa qu'il avait fait exprès de casser les lunettes de son copain Hugo qui venait de le traiter de nabot.

– À vrai dire, heu… a-t-il fini par bafouiller, je suis… enfin j'étais…

Il m'a jeté un coup d'œil rapide avant de dévisager Maminou avec éloquence.

Il ne voulait pas parler devant moi !

C'est toujours pareil avec les adultes, dès que ça devient intéressant, il faut qu'on disparaisse !

Je n'ai pas réagi, hors de question de leur faciliter la tâche, et j'ai caressé la tête de Babiole, tant pis pour l'odeur.

– Lucie ? Je crois qu'il est temps de te coucher, a prononcé Maminou.

– T'inquiète, je n'ai pas sommeil.

– Désolée, ma Lucie, tu vas devoir m'obéir, a-t-elle déclaré en passant sa main dans mes boucles.

C'est plus fort que moi, je suis incapable de la contrarier. Alors je me suis contentée de lever les yeux au ciel.

J'ai posé délicatement le singe sur les genoux de M. Labatie, j'ai grogné un vague « bonne nuit », j'ai récupéré ma valise et j'ai filé dans la chambre d'amis. J'ai regardé le lit recouvert d'une couette moelleuse et accueillante. J'étais presque tentée de m'allonger... Non, j'avais mieux à faire.

J'ai fouillé dans le kit d'espionnage d'Ulysse et j'ai pris l'amplificateur de bruits, constitué de deux écouteurs reliés à une parabole grâce à laquelle je capterais le moindre son à dix mètres à la ronde. Enfin, d'après la notice.

J'ai glissé en chaussettes le long du couloir, je me suis plaquée au mur et j'ai tendu la parabole vers le salon.

Pfff, n'importe quoi, je percevais le bruit de la mer, comme dans les coquillages. J'ai laissé tomber ce truc inutile, autant me contenter de mes deux oreilles.

– … à nos âges, vous savez, on peut tout entendre, prétendait ma grand-mère sur un ton réconfortant.

Gros soupir du voisin.

– Je vous préviens, vous ne me jugerez plus fréquentable.

Rire léger de Maminou.

– Ne dites pas de bêtises !

– Bon, je vous aurai prévenue… Apprenez, Françoise, que j'ai derrière moi un long passé de… de malfaiteur.

Silence de ma grand-mère, toux gênée du malfaiteur.

– Autrefois, on me surnommait le marquis des serrures, a-t-il repris. Aucune ne me résistait, de la simple porte au coffre-fort le plus sophistiqué. J'ai donc loué mes services pendant des années à des cambrioleurs qui opéraient dans le monde entier en contrepartie d'un pourcentage de leur butin.

Hum hum de Maminou, qui devait se demander si finalement elle était capable de tout entendre.

– La Royal Bank de Sydney, c'est moi, le casino de Montevideo aussi, ainsi que le fourgon blindé du TGV Paris-Marseille, la banque Tourmalin, les…

– Bon bon bon, a marmonné son interlocutrice, sans doute pour qu'il cesse son énumération.

– Vous voyez, vous êtes choquée. Toujours est-il que j'ai pu ouvrir sans mal le cadenas de la grille et de la cave de la clinique, un jeu d'enfant.

IMPASSE
des
Tourterelles

Il s'est interrompu, avant de dire :

– Rassurez-vous, c'est du passé. J'ai payé ma dette à la société, j'ai fait dix ans de prison et j'ai été libéré il y a une dizaine d'années. Depuis, je ne participe plus à aucune opération. Je donne même des cours à des apprentis serruriers... Voilà, vous savez tout !

Après un court moment de réflexion, Maminou a déclaré d'un ton réjoui :

– Voyez-vous, j'étais pour ma part costumière au Grand Théâtre. Dans cette profession, on croise toutes sortes de gens originaux. Mais un ancien cambrioleur, c'est une première pour moi. Décidément, quelle soirée incroyable !

Moi aussi, je trouvais ça génial.

Un trafic de singes, un sapajou et un voleur sous notre toit, c'était le week-end de ma vie !

Négociations difficiles

Après toutes ces révélations, Maminou et le marquis se sont interrogés : quelle pièce à conviction pouvait-on apporter au commissariat pour déclencher une intervention immédiate ?

– Notre parole ne suffira pas, il nous faut du concret, a assuré Paul.

– Je sais ! s'est exclamée Maminou. Dès lundi matin, nous nous présenterons là-bas en compagnie du sapajou. Ce n'est pas une belle preuve, ça ?

– Hum, je crains hélas que ce ne soit pas suffisant.

Comme ma grand-mère n'avait pas d'autre idée à soumettre au marquis et que c'est une sacrée curieuse, elle est passée en mode questions indiscrètes. Était-il marié ? Avait-il des enfants, des petits-enfants ? Où vivait-il avant d'emménager impasse des Tourterelles ?

Ensuite, elle a parlé de mon père, de ma mère, d'Ulysse, de moi, et même de Gaston.

Carrément hors sujet !

Pfff, je commençais à m'ennuyer, mes paupières s'alourdissaient, lorsqu'une idée simple et pourtant géniale a surgi dans mon esprit ensommeillé.

La police avait besoin de preuves, elle en aurait !

Et comme les idées géniales n'attendent pas, une minute plus tard je déboulais dans le salon.

Maminou caressait Babiole, indifférente aux mauvaises odeurs. À ma vue, elle s'est écriée :

– Lucie… Tu ne dors pas ?

– Ben non ! Et je vais être honnête avec vous, je vous ai écoutés.

– Oh ! s'est-elle exclamée.

Je me suis assise à côté d'elle.

– Franchement, tu sais, le marquis des serrures, j'ai déjà vu cent fois pire à la télé !

Paul Labatie a ri.

– Françoise, je crois que votre petite-fille a raison. Et puis c'est de l'histoire ancienne !

J'ai acquiescé et j'ai poursuivi.

– Pour les singes, j'ai une proposition à vous faire.

L'ex-voleur m'a dévisagée, l'air intéressé, alors j'ai décliné mon plan.

1) Le marquis des serrures retournait à l'ancienne clinique et photographiait, sous tous les angles, les animaux en cage.

2) J'imprimais les photos à la maison.

3) On montrait les clichés à la police qui, sans perdre une seconde, tous gyrophares dehors, se précipitait sur les lieux.

4) Et voilà, simple et génial ! On pouvait s'en charger dès cet après-midi, non ?

Ils se sont regardés, pensifs, puis notre voisin a déclaré :

– Oui, ça tient la route. Sauf pour le dernier point.

– Pourquoi ? ai-je voulu savoir, déçue.

– Parce qu'il est très rare que j'opère de jour. Je préfère qu'on ne me voie pas pénétrer dans l'enceinte de la clinique !

J'ai haussé les épaules.

– On n'a qu'à attendre la nuit prochaine, alors.

Ma grand-mère a esquissé un mouvement de recul.

– Comment ça, « on » ?

– Ben oui, je l'accompagne, ai-je tenté.

– Ah non, pas question ! a-t-elle rétorqué. De toute façon, je ne suis pas sûre que cette expédition soit bien prudente, Paul. Jusque-là vous avez eu de la chance, mais que se passera-t-il si vous tombez sur l'un des malfaiteurs ?

J'ai acquiescé avec vigueur, l'argument de Maminou me donnait le prétexte rêvé pour être de la partie.

– Oui, c'est vrai. En plus, à votre âge, impossible de vous échapper en courant, mieux vaut être deux, on ne sait jamais. Si les voleurs arrivent, je m'enfuirai à toutes jambes, j'irai chercher des secours !

Il m'a souri.

— J'adore le sport, Lucie, ne t'inquiète pas pour moi.

Je ne m'inquiétais pas, je voulais juste venir avec lui.

— Je sais ! me suis-je exclamée, je grimperai en haut d'un arbre, je ferai le guet. Si une voiture se gare au fond du parc, je vous préviendrai grâce au talkie-walkie et...

— Non, non et non, a répliqué ma grand-mère. Pas question ! Si tu tombais ? Quelle horreur !

J'ai froncé les sourcils.

— Pfff, t'es comme Ulysse, tu gâches tout !

Les bras croisés, une idée derrière la tête, j'ai interrogé Paul :

— Vous avez un appareil photo, au moins ?

— Oui, un petit modèle très...

Je ne lui ai pas laissé le temps de poursuivre.

– Mieux vaut emprunter celui de ma grand-mère, ai-je assuré, catégorique. Attention, c'est un appareil ultra-sophistiqué, pas évident à utiliser. Si vous ne me croyez pas, je peux vous montrer les photos qu'elle a prises. Floues, moches comme tout, une catastrophe.

– Tu exagères ! a protesté Maminou.

J'ai renchéri :

– Moi je sais m'en servir, donc je viens avec vous. Allez, Maminou…

– À l'heure qu'il est, nous ne sommes plus en état de réfléchir correctement, a-t-elle riposté. Accordons-nous un peu de repos, d'accord ?

À sa grande surprise, j'ai acquiescé sagement.

Elle n'avait pas dit non !

Et si elle n'avait pas dit non, c'était gagné ! Non ?

Mode d'emploi

Le lendemain, enfin, le même jour, je me suis réveillée à 15 h 40.

Quand j'ai vu l'heure à ma montre, j'ai laissé échapper un youpi retentissant.

15 h 40 !

Une performance à noter illico dans *Le carnet des records personnels de Lucie Bonnefoy*, que j'emmenais partout avec moi. En dessous de « Record du nombre de Carambar engloutis lors d'une soirée pyjama : 34 ! », j'ai écrit « Record de grasse matinée : 15 h 40 ! ».

Je me suis douchée en songeant aux événements de la nuit précédente et en me réjouissant à l'avance de ceux de la nuit prochaine.

Un verre de jus d'orange m'attendait sur la table de la cuisine, à côté d'une pile de pancakes encore chauds. J'ai embrassé Maminou, maquillée et parfumée, aussi fraîche que si elle avait dormi douze heures d'affilée.

– Waouh, ce que tu es belle ! me suis-je exclamée.

Elle a ri en faisant la révérence pour me remercier.

– Dis donc, cet ensemble africain, ce n'est pas celui que tu portais au mariage de tante Babeth ?

– Si ! Le pauvre, il est enfermé depuis plus d'un an dans ma penderie, j'ai eu envie de lui faire prendre l'air.

Je me suis assise et, la bouche pleine, j'ai demandé :

– Alors, c'est d'accord, j'accompagne le marquis ?

– Bien sûr que non ! a-t-elle rétorqué. Pas question que ma petite-fille adorée coure le moindre risque !

Au comble de l'indignation, j'ai failli m'étrangler.

– Quoi ? Mais tu...

La sonnette a retenti, Maminou a sursauté et j'ai bougonné :

– C'est sûrement le voisin.

Elle a jeté un coup d'œil rapide à son reflet dans le miroir et s'est dirigée vers l'entrée.

« Françoise, quelle tenue originale, vous êtes ravissante ! » ai-je aussitôt entendu.

– Merci Paul ! Et ces fleurs... Oh, il ne fallait pas !

Et bla-bla-bla...

Je ne les écoutais plus, je mâchais mes pancakes, concentrée sur mon objectif : obliger Maminou à changer d'avis.

Peut-être que, sans s'en douter, le marquis des serrures pourrait m'aider.

Lorsqu'ils m'ont rejointe, je les ai accueillis avec le sourire.

M. Labatie était très élégant lui aussi, avec son jean noir, son polo vert et un pull posé sur les épaules.

– Regarde qui j'amène ! a-t-il déclaré.

Il tenait une cage à bout de bras, recouverte d'un tissu que je me suis empressée de soulever. Babiole était bien réveillé cette fois.

Je lui ai ouvert, il m'a flairé le bout des doigts avant de me lécher la main à petits coups de langue. Je l'ai attrapé et il s'est aussitôt niché contre moi, confiant, en plongeant ses doigts dans mes boucles. Il sentait bon et son poil brillait, le marquis l'avait sans doute douché le matin même.

Il a enroulé sa queue autour de mon avant-bras, j'ai ri, ça me chatouillait.

J'étais aux anges, mais pas question pour autant d'oublier mon objectif!

Je suis passée à l'attaque.

– Je n'ai pas le droit de venir avec vous ce soir, alors il faut que je vous apprenne à utiliser l'appareil photo. Je vais aller le chercher.

Je suis revenue, Babiole toujours suspendu à mon cou et le Nikon à la main.

– Tenez, monsieur le marquis, prenez-le.

– Appelle-moi Paul, je préfère. Tu sais, j'ai l'habitude de ce genre de matériel, ça ne devrait poser aucun problème.

– OK Paul, on va voir. Appuyez sur « On ».

Il s'est exécuté, et là, j'ai commencé à m'amuser.

– Placez le viseur devant votre œil, appuyez sur le bouton en haut à droite, deux fois, puis le bouton sur la gauche, trois fois, puis vous comptez jusqu'à dix, et hop, le bouton du dessous, une seule fois. Ça, c'est pour la mise au point.

Il a suivi mes instructions en fronçant les sourcils.

J'ai ajouté :

– Pour activer le flash, tournez la molette du dessus jusqu'au clic, puis dans le sens inverse, re-clic, et de nouveau en avant, re-re-clic.

Il a soupiré et j'ai continué.

– Faites pivoter l'objectif d'un quart sur la droite. Maintenant, pressez le bouton qui est sur la façade, attention, doucement, sinon… Ah zut, raté, il faut recommencer !

Une lueur d'amusement a traversé son regard, il avait compris mon petit manège… Pourvu qu'il ne me trahisse pas !

Il m'a adressé un clin d'œil discret et il a pris ma grand-mère à témoin.

– C'est compliqué, en effet, beaucoup plus qu'une serrure. Je ne sais pas si je m'en tirerai. Je crois… Oui, je préfère que tu m'accompagnes, Lucie !

Maminou a esquissé une moue sceptique et là, notre hôte m'a apporté le soutien que j'attendais :

– Laissez-la venir, Françoise, elle sera sous mon entière responsabilité, il ne lui arrivera rien !

Ils sont restés les yeux dans les yeux pendant au moins dix secondes et ma grand-mère a murmuré :

– Bon, d'accord.

Dingue ! Paul était trop fort, je n'avais même pas eu besoin de lâcher mon irrésistible « Allez, Maminou ».

Aussitôt après, il s'est levé et a déclaré :

– Je me sauve, on m'attend au stade, j'entraîne l'équipe de foot junior. À ce soir, mesdames ! Je vous laisse Babiole, prenez-en soin.

Il pouvait compter sur moi !

Parés pour l'aventure

Je n'ai pas vu passer l'après-midi !

Babiole alternait des périodes de calme et d'excitation, comme Ulysse, sautant dans tous les sens ou se réfugiant contre moi pour réclamer de nouveaux câlins.

Maminou s'inquiétait pour ses vases et ses bibelots, Gaston poussait de petits cris mécontents, mais moi, franchement, je me suis bien amusée.

Surtout quand ma grand-mère s'est mise à chercher la bague qu'elle avait retirée pour faire la vaisselle…

On a fouillé partout, sans succès.

Le sapajou, assis sur un coussin du canapé, nous observait, l'air innocent.

Trop innocent !

J'ai déplié un à un, doucement, les doigts fins de sa main gauche. Gagné, la bague était là !

– Quel chapardeur, pas étonnant que le marquis et lui s'entendent bien ! a rouspété Maminou, faussement fâchée.

À 18 heures pile, alors que je venais de remettre Babiole dans sa cage pour qu'on se repose un peu, lui et moi, le téléphone a sonné.

Maminou a décroché, c'était ma mère. Elles ont discuté deux minutes, puis j'ai pris l'appareil.

– En forme, ma Lucie ? m'a demandé maman.

– Impec ! Je dors trop bien, je mange trop bien !

(Rester vague pour ne pas éveiller l'attention.)

– Parfait. Et ce soir, quelque chose de prévu ?

(Pratiquer l'esquive pour ne pas mentir.)

– On va voir... Et vous quoi de neuf ?

Elle a soupiré.

– Figure-toi que c'est le grand jour. On a été informés que nous aurions un appel ce soir pour connaître l'avenir de *Pensées fleuries*, et le nôtre par la même occasion. Résultat, on a annulé notre sortie resto-ciné !

– Quoi ? Le big boss vous annonce ça un samedi ? Au téléphone ?

– Oui ? C'est curieux, hein ? Mais le magasin marche du tonnerre, je garde de l'espoir.

Les pauvres, ils devaient être super inquiets. Heureusement qu'ils ne savaient pas ce que nous projetions.

La gorge un peu serrée, je l'ai embrassée très fort en leur souhaitant bonne chance.

Quand j'ai raccroché, ma grand-mère a murmuré, songeuse :

– J'aurais dû lui parler de cette histoire de singes…

Surtout pas !

– Non, on leur racontera demain, ai-je affirmé.

Paul s'est présenté à 20 heures comme prévu, vêtu de noir comme moi. Maminou nous a servi un risotto et sa crème domino, il a adoré.

Après le dessert, chacun d'entre nous a pris l'un des trois talkies-walkies d'Ulysse. Grâce à eux, nous pourrions tenir Maminou au courant de nos faits et gestes.

– Si j'entends que vous avez le moindre problème, a-t-elle déclaré, rassurée, je contacte immédiatement la police.

Paul a levé la main.

– J'ai une meilleure idée, Françoise. Je vous laisse le numéro de téléphone portable de Pierrot, un ami. En cas d'urgence, vous l'appelez, il volera à notre secours avant même que vous ayez eu le temps de raccrocher.

Il a noté le numéro sur un papier et j'ai ajouté :

– En tout cas, il faut qu'on choisisse un signal qui te fasse comprendre qu'on a une embrouille.

Ils se sont dévisagés, perplexes, et j'ai lancé :

– Je sais, le signal ce sera « Ulysse ». Normal, c'est le roi de l'embrouille !

Paul a levé un sourcil étonné.

– Ulysse, c'est le prénom de mon frère, ai-je expliqué.

Il a ri. Il devait avoir un petit frère !

Babiole dormait, notre plan était prêt et pour fêter ça, j'ai proposé un Monopoly.

On a joué pendant deux heures, au cours desquelles j'ai réalisé avec stupéfaction que Maminou trichait ! Paul s'en est rendu compte aussi. Quand elle a juré que non, elle n'avait pas pris deux fois vingt mille euros en passant par la case départ, il m'a adressé un clin d'œil.

Lorsque la pendule a sonné onze coups, j'ai frissonné de plaisir. C'était l'heure fixée pour notre opération commando photo.

On s'est levés, on a vérifié qu'on n'avait rien oublié, ma grand-mère a posé ses mains sur mes épaules, en prodiguant des tonnes de conseils de prudence au marquis, qui l'a tranquillisée.

– Françoise, Lucie est en sécurité avec moi. Et souvenez-vous que nous allons juste photographier quelques singes !

Elle m'a embrassée et, postée sur le seuil de la maison, elle nous a observés tandis que nous nous engagions vers le fond de l'impasse des Tourterelles.

La nuit était sombre, pas de lune ni d'étoiles. Heureusement, les réverbères étaient allumés et j'avais ma lampe frontale.

– Regardez ! ai-je chuchoté.

Une voiture grise aux vitres opaques était garée devant l'immeuble de bureaux qui occupait le trottoir gauche. D'habitude, le week-end, personne ne stationnait là.

– C'est louche, non ? ai-je poursuivi, gagnée par l'inquiétude de Maminou.

Mon complice a secoué la tête.

– Les trafiquants empruntent l'autre entrée, à l'extrémité du parc, plus discrète. Ne te tracasse pas, Lucie.

Devant la grille de la clinique, il a sorti de son sac une minuscule trousse à outils dans laquelle il a prélevé une tige très fine en acier qu'il a introduite dans le cadenas. Il a exercé une pression légère et la serrure a cédé.

– Vous m'apprendrez? ai-je chuchoté.

– Pas sûr que ta grand-mère soit d'accord!

On s'est souri, j'ai glissé ma main gantée dans la sienne et on a avancé vers le bâtiment, parés pour l'aventure!

Opération commando

Une fois à l'intérieur, ma frontale allumée, j'ai appelé Maminou :

– Tout va bien, je répète, tout va bien.

J'étais presque déçue de ne rien avoir de plus palpitant à lui raconter.

Le talkie-walkie a grésillé puis j'ai entendu :

– Tant mieux ! Dépêchez-vous !

Elle pouvait se fier à nous, pas question de nous éterniser dans cet endroit lugubre.

On a pénétré à l'intérieur de la cave et là j'ai écarquillé les yeux.

Face à nous, d'antiques chaudières d'où sortaient des tuyaux enfoncés dans le mur. Sur la droite, une porte et, à notre gauche, sous un soupirail recouvert de toiles d'araignées, trois grandes cages qui contenaient chacune cinq ou six singes, des sapajous et des makis cattas à la queue rayée noir et blanc, trop mignons, que j'avais repérés dans l'encyclopédie de Maminou. À notre vue, ils ont sauté dans tous les sens avant de s'approcher des barreaux.

Nous nous sommes avancés, Paul a ouvert son sac à dos rempli de fruits et nous avons commencé la distribution. Les animaux, sans doute affamés, tendaient leurs doigts vers nous, sans la moindre timidité.

Une fois le dernier quartier de pomme envolé, j'ai crié dans le talkie-walkie :

– Je vais prendre les photos, je répète, je vais prendre les photos.

Sans attendre de réponse, j'ai posé l'appareil au sol afin que Maminou ne loupe pas une miette de notre expédition. J'allais sortir le Nikon de la poche ventrale de mon sweat quand soudain j'ai sursauté. La porte à droite venait de s'ouvrir pour laisser passer un type blond chargé d'une bonbonne d'eau, qui nous a dévisagés, stupéfait.

Le cœur battant, effrayée, je me suis serrée contre le marquis, qui m'a entourée d'un bras protecteur.

L'air menaçant, le nouveau venu s'est avancé vers nous.

– Qu'est-ce que c'est que ce souk ? a-t-il hurlé. Qu'est-ce que vous faites là ?

Les singes, saisis, se sont immobilisés.

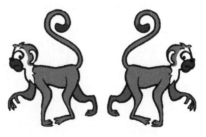

À ma grande surprise, Paul a perdu toute contenance. Les épaules voûtées, il a bredouillé d'une voix tremblotante :

– Oh monsieur, excusez-nous... Je me promenais avec Ulysse, mon petit-fils, pour lui montrer les oiseaux de nuit, il y en a beaucoup par ici... La grille du parc était ouverte, la porte de la cave aussi, alors Ulysse et moi...

OK, il jouait la comédie dans l'espoir d'embrouiller l'intrus et il avait prononcé deux fois le mot « Ulysse », notre signal de détresse. N'empêche, j'avais peur, très peur. J'ai frissonné en croisant les doigts. Pourvu que Maminou ait capté le message !

– Quoi ? Tout était ouvert ? a aboyé l'autre.

Il a secoué la tête, puis il a grondé, comme pour lui-même :

– Voilà ce qui se passe quand on bosse avec des baltringues...

Il a poursuivi d'un ton ironique :

– Bref, vous avez vu de la lumière et vous êtes entrés, c'est ça ?

– Non, il n'y avait pas de lumière, a répondu le marquis d'une voix chevrotante, mais nous avons des lampes... et nous sommes tombés nez à nez avec ces adorables singes, hein Ulysse ?

J'ai acquiescé frénétiquement, sans dire un mot pour ne pas me trahir.

Le trafiquant a repéré mon talkie-walkie.

– Et ça, c'est pour communiquer avec les oiseaux de nuit peut-être ? a-t-il grincé.

– Oh non, a répondu Paul, c'est un jouet que j'ai offert à Ulysse pour Noël, hein mon bonhomme ? Le deuxième est dans la poche de mon blouson, tenez.

Le type l'a pris, l'a jeté par terre et il a écrasé les deux exemplaires d'un coup de talon rageur.

Aïe ! Mon frère m'en voudrait à mort !

Il nous a dévisagés, sourcils froncés.

– Manquait plus que ça, un vieux schnock et un sale mioche…

Il a composé un numéro sur son téléphone.

– Pas de réseau, ça m'aurait étonné, a-t-il rouspété.

Il a soupiré, puis il a donné une violente bourrade à Paul.

– Allez, toi, fini de jouer, au trou avec les babouins, et plus vite que ça.

Il a attrapé le marquis par le col, il a déverrouillé la cage des sapajous et il l'a poussé brutalement dedans, avant de me réserver un sort identique.

Il a refermé derrière nous et, son portable à la main, il s'est dirigé vers la porte par laquelle il était arrivé.

Paul a déclaré en désignant le sombre couloir que nous avions emprunté :

– Monsieur, sortez plutôt par là. Partout ailleurs dans le parc les arbres brouillent la réception…

– Comment vous le savez?

– Oh, c'est l'une de mes jeunes nièces, Hélène, qui me l'a dit. Elle vient parfois avec des amis escalader les murs le soir.

Le blond a hésité deux secondes, il a murmuré quelque chose qui ressemblait à « pauvre crétin », et il a filé en suivant le conseil de Paul.

Là, franchement, j'ai senti monter une grosse envie de pleurer.

Les cages étaient répugnantes, les talkies-walkies fichus, ce sale type allait décider de notre avenir avec ses acolytes et, d'ici cinq minutes, il reviendrait s'occuper de nous.

Déprimant !

C'était compter sans Paul.

Il a pressé mes doigts en chuchotant :

– N'oublie pas qu'on me surnomme le marquis des serrures ! Et ta grand-mère a sûrement appelé Pierrot, qui va se faire une joie d'accueillir ce déplaisant jeune homme. Surtout, ne t'inquiète pas, ça va s'arranger !

Au même moment, comme pour me remonter le moral, un singe a bondi sur mes genoux avant de me tourner le dos pour me présenter fièrement ses fesses.

J'ai éclaté de rire, Paul a ouvert la cage, on était libres !

Un trafiquant en cage

On a longé le couloir à pas de loup, sans lumière pour ne pas attirer l'attention. Le souffle court, le cœur battant, je marchais derrière Paul plus silencieux qu'un Sioux.

Je tremblais à l'idée que le blond, fou de rage, ne nous surprenne en train de fuir. Le marquis, lui, ne semblait pas inquiet. Prudent, sur ses gardes, mais tranquille.

En bas de l'escalier, il a chuchoté :

– Reste là. Je te promets que je fais vite.

Pas très rassurée, je l'ai regardé disparaître dans la pénombre.

J'ai songé à Maminou, que l'angoisse devait ronger.

Elle en voudrait à mort à son voisin !

Il n'était pas près de revenir déguster une mousse domino, le pauvre.

Quand j'ai entendu « Lucie, la voie est libre ! », je me suis ruée en haut, soulagée de déserter ce couloir répugnant.

Paul m'attendait mais au lieu de le rejoindre je me suis arrêtée net, tétanisée.

Face à lui se tenait l'homme le plus grand et le plus large que j'aie jamais vu, même à la télé, même dans le vrai livre des records.

– Je te présente mon ami Pierrot, a déclaré le marquis en me souriant.

Ouf, le géant était des nôtres ! Il s'est avancé et m'a tendu la main.

– Enchanté, mademoiselle.

Enfin quelqu'un qui ne me prenait pas pour un garçon.

J'ai jeté un coup d'œil autour de nous.

– Et… Et le blond, qu'est-ce qu'il est devenu?

Pierrot m'a répondu d'une voix étonnamment douce :

– Il a subi le sort que lui et ses complices réservent aux singes. Il est en cage à son tour en quelque sorte.

Paul a précisé :

– Il est enfermé, bâillonné, pieds et poings liés, dans la voiture grise que tu avais repérée quand on est arrivés. Elle appartient à Pierrot, qui faisait le guet, prêt à agir. Dès que Françoise a composé son numéro de portable, il s'est précipité à la rencontre de ce bandit.

Il a froncé les sourcils, soucieux.

– Si ce sale bonhomme était arrivé par la même porte que nous, Pierrot l'aurait intercepté et nous n'aurions pas eu à supporter sa brutalité. J'ai commis une grossière erreur d'appréciation en pensant qu'une seule entrée menait au sous-sol. Le manque d'entraînement, sans doute. Il doit y avoir une issue bien cachée, je m'en veux terriblement de ne pas…

Je ne l'écoutais plus.

Une silhouette s'avançait vers nous, à pas pressés.

Maminou, qui s'était emmitouflée dans sa superbe cape rouge.

Instinctivement, j'ai rentré le cou dans les épaules.

Pauvre Paul, il allait vraiment passer un sale quart d'heure ! Et moi aussi !

Parvenue devant nous, elle m'a ouvert les bras.

Je m'y suis réfugiée et elle a murmuré au creux de mon oreille :

– Quel week-end, ma Lucie. Tu vas bien ?

J'ai hoché la tête en me serrant contre elle. Je m'en tirais sans bobos, avec juste une grosse peur et des mauvaises odeurs.

Elle s'est tournée vers Paul, et là je n'ai rien compris.

– Quand j'ai entendu notre signal dans le talkie-walkie, j'ai eu la frayeur de ma vie ! s'est-elle exclamée gentiment. Cela dit, j'ai tout de suite senti que vous maîtrisiez la situation. J'ai appelé votre ami, qui m'a annoncé qu'il était posté devant la clinique... Vous auriez dû me le dire !

Le marquis a acquiescé, contrit.

– Oui, vous avez raison, Françoise, j'aurais dû vous prévenir qu'il veillait sur nous de près. Dans notre métier, on prend l'habitude d'en révéler le moins possible, déformation professionnelle, j'espère que vous ne m'en voulez pas.

Il la dévisageait, soucieux, et il s'est détendu lorsqu'elle lui a souri.

– Ma petite-fille est saine et sauve, vous aussi, c'est l'essentiel. Mais où est passé cet affreux personnage ?

– Il est assis sagement à l'arrière de mon véhicule, bâillonné, chevilles et poignets ligotés. Il ne risque pas de s'enfuir, madame, a répondu le colosse.

– Et que va-t-il devenir ?

Paul s'est caressé le menton.

– Le mieux serait de le déposer discrètement devant le commissariat, à côté de leur local poubelle. Nous laisserons un mot d'explication à l'intention de ces messieurs de la police, qui ne devraient avoir aucun mal à remonter la filière. Qu'en pensez-vous ?

Pierrot et Maminou ont approuvé.

– Mais pourquoi on ne les appelle pas, tout simplement ? ai-je demandé.

Le géant s'est raclé la gorge avant de m'expliquer :

– Vois-tu, la police et moi, nous ne sommes pas vraiment du même monde, je préfère me tenir à l'écart.

– Et puis une nuit dehors, cela apprendra peut-être à ce voleur de singes à respecter les enfants, les seniors et les animaux ! a ajouté le marquis en m'adressant un clin d'œil.

Pas faux !

Rien que la vérité

Pierrot nous a salués avant de partir livrer son chargement et nous avons rebroussé chemin à pas lents. Paul a récupéré Babiole chez ma grand-mère et, sur le perron, il s'est de nouveau excusé de m'avoir entraînée dans cette aventure :

– Je suis vraiment confus. J'espère que vous ne m'en tiendrez pas rigueur…

J'ai tiré sur sa manche en me haussant sur la pointe des pieds, il s'est baissé et je l'ai embrassé sur la joue.

– Franchement, c'était super, ai-je chuchoté.

– En tout cas, voilà une histoire qui se termine bien, et j'adore ça, a déclaré Maminou, satisfaite.

Elle a ajouté, hésitante :

– Nous feriez-vous le plaisir de vous joindre à nous pour le café, demain, en début d'après-midi ?

Le marquis a acquiescé avec empressement.

– Volontiers, Françoise, volontiers ! D'ici là, bonne nuit à vous deux.

Il s'est éloigné à pas vifs sous la lueur des réverbères, et nous sommes rentrées.

– À la douche ! m'a aussitôt ordonné Maminou en se pinçant le nez.

J'ai râlé pour la forme, mais franchement elle avait raison. Je sentais encore plus mauvais qu'Ulysse lorsqu'il revient du poney-club.

Dix minutes plus tard, je plongeais sous ma couette, si fatiguée que je me suis endormie avant même de fermer les paupières !

Quand Maminou m'a réveillée, j'étais en plein rêve.

Juchée sur les épaules du marquis, je déposais des bébés singes dans leur nid, en plein cœur de l'Amazonie.

– Lucie ? Lucie ? Tes parents viennent d'appeler.

– Hein ? Quoi ? ai-je grogné.

– Tes parents. Ils arrivent, il faut te lever.

Je me suis assise et j'ai réalisé que je n'avais pas pensé à eux de la soirée. Pourvu que les nouvelles soient bonnes !

– J'ai le temps de prendre mon petit-déjeuner ?

Ma grand-mère a ri.

– Il est treize heures ! Habille-toi, je t'ai préparé du riz au lait et un jus d'orange.

Hum, le riz au lait de Maminou, un délice !

Une fois attablée, entre deux bouchées j'ai demandé :

– On raconte nos aventures à papa et maman ? Les singes, le marquis, le sale type ?

Elle a soupiré, l'air embêtée.

– Je n'ai pas l'habitude de leur cacher quoi que ce soit, mais là…

– C'est du lourd ! ai-je complété. Alors ?

Elle a caressé du bout des doigts l'alliance de Papinou qu'elle porte en pendentif, comme pour prendre conseil.

– Je les aime trop pour leur mentir, donc je leur dirai la vérité, rien que la vérité, toute la vérité ! a-t-elle décidé.

J'ai approuvé. Je mourais d'envie de voir la tête d'Ulysse quand il entendrait notre récit.

— Tu sais, a-t-elle repris, ils seront peut-être fâchés après moi. Je t'ai laissé courir des risques inconsidérés.

— Fâchés après toi ? Impossible, ai-je répliqué, ils t'adorent.

Elle m'a embrassée sur le front.

— J'espère que tu as raison, ma Lucie.

La sonnette de la porte a retenti, je me suis précipitée, Maminou sur les talons.

Maman m'a ouvert les bras, papa a tendu à ma grand-mère une superbe orchidée en pot et Ulysse a pointé sa bouche du doigt.

— Regardez, j'ai perdu deux dents chez tatie Jeanne ! Deux dents d'un coup !

— Ça te va très bien, a constaté Maminou en lui ébouriffant les cheveux.

Puis, l'air préoccupée, elle a questionné mon père :

– Alors, quelles sont les nouvelles ?

C'est maman qui a répondu, radieuse.

– On a une histoire incroyable à vous raconter !

Tiens, ils avaient croisé des singes dans la nuit, eux aussi ?

Les aveux

On s'est confortablement installés, les adultes sur le canapé, Ulysse et moi en tailleur par terre.

Gaston, en état d'alerte à cause de mon frère, s'est blotti craintivement dans un coin de sa cage.

Maminou a servi le café, et papa nous a livré son récit.

Ils avaient bien reçu un appel la veille au soir, mais de la part du PDG de l'entreprise, un Hollandais qui supervise tous les magasins *Pensées fleuries* de France.

Il leur avait expliqué que le directeur qui avait menacé de les licencier venait d'être renvoyé, qu'il était soupçonné d'avoir détourné la recette de nombreux magasins et qu'on n'entendrait plus jamais parler de lui. Il avait félicité mes parents pour leurs résultats et leur avait annoncé qu'ils pourraient embaucher un salarié supplémentaire afin d'être moins débordés.

– Et voilà, a conclu papa en posant sa main sur celle de Maminou. Une fin heureuse, telle que tu les aimes !

– C'est merveilleux ! s'est-elle exclamée, rose de plaisir.

– Et ici, quoi de neuf ? a demandé ma mère en portant sa tasse à ses lèvres.

Ma grand-mère et moi nous sommes raclé la gorge en même temps. J'ai lâché sobrement :

– C'était trop cool !

– En tout cas, vous avez l'air en pleine forme, a constaté papa.

– Et moi, j'ai pas l'air en pleine forme ? a voulu savoir Ulysse.

– Toi, t'es en forme de nain, comme d'hab, ai-je répondu en lui pinçant le bout du nez.

Maminou a murmuré :

– Bon, nous aussi on a deux ou trois choses à vous raconter...

Elle a inspiré à fond, et s'est lancée.

La version longue.

Gaston affolé, le petit singe sur le trottoir, les photos, nos recherches dans l'encyclopédie, le voisin, mon expédition nocturne, la clinique désaffectée, le sapajou, le marquis des serrures, le commando photo, les talkies-walkies, le méchant blond, les cages, le gros balèze, la capture.

Ni mes parents, les yeux écarquillés, ni mon frère, la bouche ouverte, ne l'ont interrompue une seule fois.

Quand elle s'est tue, mon père a toussoté, maman s'est servi une nouvelle tasse de café.

Ulysse s'est écrié :

– C'est pas juste, c'était mieux que chez tatie Jeanne !

Il s'est tourné vers moi, l'air malheureux.

– Et j'ai plus de talkies-walkies...

Maminou l'a rassuré :

– Je t'en achèterai des neufs, promis.

Puis, inquiète, elle a dévisagé mes parents, dans l'attente de leur réaction. Mon père est enfin sorti de son silence :

– C'est vrai, cette histoire ? Vous ne nous menez pas en bateau ?

– Super vrai ! ai-je juré, solennelle.

Il a secoué la tête et ma mère a dit, contrariée :

– Cette affaire aurait pu très mal se terminer...

– Je sais, a volontiers reconnu ma grand-mère. Au début il ne s'agissait que d'un jeu, puis les événements se sont enchaînés. Les circonstances étaient exceptionnelles, cela ne se reproduira pas... J'aurais dû vous prévenir, je suis désolée.

Elle s'est interrompue, pour reprendre presque aussitôt, hésitante :

– J'espère... j'espère que vous continuerez à me confier Lucie à l'avenir...

Le ventre noué, j'observais mes parents.

Ils se sont regardés, nous ont souri et, à mon grand soulagement, papa a déclaré :

– Bien sûr, vous faites la paire toutes les deux ! Mais la prochaine fois que vous voyez un singe dans la rue, parlez-nous-en avant de vous lancer à sa poursuite !

À cet instant, la sonnette a retenti.

Maminou a rougi :

– Oh, c'est Paul, j'avais complètement oublié !

C'est comme ça que ma famille au grand complet a eu le plaisir de rencontrer le nouvel ami de Maminou et mon sapajou préféré !

Ulysse et moi avons passé l'après-midi à jouer avec Babiole pendant que les adultes discutaient tranquillement. Juste avant que nous partions, mon frère a glissé à l'oreille du marquis :

– Dis, la prochaine fois que tu pars en mission, je pourrai venir avec toi ?

Épilogue

De retour à la maison, juste avant le dîner, j'ai reçu un coup de téléphone de Maminou. En fin d'après-midi, un grand camion s'était arrêté devant les grilles de la clinique. Des hommes en blouse blanche et des policiers en étaient descendus, des cages à la main, pour délivrer les malheureux prisonniers.

Le lundi après l'école, un peu triste, j'ai fait mes adieux à Babiole. Ma grand-mère et le marquis prévoyaient de l'emmener dès le lendemain vers sa nouvelle vie, à La vallée des singes.

– Ce n'est qu'un au revoir, m'a consolée Maminou, je te promets qu'on lui rendra visite.

La semaine suivante, j'ai fait un exposé sur le trafic d'animaux exotiques, le troisième plus important au monde après les armes et la drogue.

La classe a adoré, la maîtresse aussi.

À la récré, elle est venue me demander si j'accepterais de créer un blog d'informations sur le sujet. Avec les volontaires, on l'alimenterait le vendredi, à la place de l'atelier bricolage.

J'ai dit oui tout de suite.

Déjà, j'ai horreur du bricolage, mais surtout, j'étais fière de pouvoir aider, à ma façon, les animaux en danger.

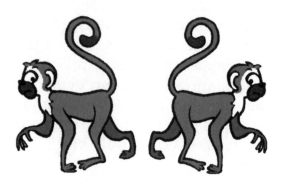

Le soir, avec Paul et Maminou, on a cherché un nom pour le blog.

On a fini par se mettre d'accord sur : « Animaux exotiques, halte au trafic ! »

La maîtresse a accepté, et j'ai proposé une photo de Babiole pour illustrer la première page.

Le vendredi, avec Grégoire – qui est redevenu mon amoureux parce qu'il adore les singes – et les autres, on a mis en ligne notre premier article.

Sur les sapajous, bien sûr !

TABLE DES MATIÈRES

Agnès Laroche est née en 1965 à Paris, elle vit aujourd'hui à Angoulême.

Son principal trait de caractère : la distraction, son mari et ses trois enfants peuvent hélas en témoigner chaque jour ! Même quand elle est là, elle est ailleurs. Un ailleurs où fourmillent les rêves et les idées grâce auxquels elle invente des histoires pour les enfants, les adolescents ou leurs parents. Elle est l'auteur de nombreuses fictions diffusées à la radio, de romans pour la jeunesse et de récits publiés en presse enfantine.

Son plus grand plaisir : faire en sorte que ses livres soient autant de petites maisons dans lesquelles les lecteurs se sentent chez eux, de la première à la dernière page.

Vous pouvez la retrouver sur son blog : agneslaroche.blogspot.com

☁ L'ILLUSTRATRICE

Frédérique Vayssières a grandi dans la campagne du Sud-Ouest. Elle en a gardé le goût de l'espace et sillonne Paris par tous les temps sur son vélo pour capter l'air du temps, les tendances de la mode et les situations amusantes qu'elle croque pour la presse et l'édition jeunesse.

Elle aime illustrer des personnages, peindre, bricoler et dessiner à la marge... comme pendant les cours de mathématiques.

Retrouvez la collection
Rageot Romans
sur le site www.rageot.fr

PAPIER À BASE DE
FIBRES CERTIFIÉES

RAGEOT s'engage pour
l'environnement en réduisant
l'empreinte carbone de ses livres.
Celle de cet exemplaire est de :
397 g éq. CO_2
Rendez-vous sur
www.rageot-durable.fr

Achevé d'imprimer en France en avril 2013
sur les presses de l'imprimerie Hérissey
Dépôt légal : avril 2013
N° d'édition : 5881 - 01
N° d'impression : 120452